Le troisième bonheur

HENRI TROYAT

Henri Troyat

de l'Académie française

le troisième bonheur

Éditions J'ai lu

I

Depuis le début de l'entretien, toute l'attention de Sylvie se concentrait sur la petite verrue que Me Pesquin portait au coin de la bouche et qui, dans le mouvement rapide des lèvres, semblait prête à se détacher. De temps à autre, Jilou interrompait le notaire pour lui poser une question. Il y répondait aussitôt avec abondance. Ses yeux brillaient d'une excitation juridique derrière ses lunettes à monture de métal. Il était étroit, pointu, sec et blanc comme un os de seiche. Assise à côté de sa mère dans le vaste bureau aux cartonniers verts et au coffre-fort monumental, Sylvie se sentait paralysée par un dépaysement trop brusque, face à cet expert en complications financières et familiales. Tout ce qui se disait ici avait si peu d'importance en regard de ce qu'elle

avait vécu depuis quatre jours ! La mort de
sa grand-mère — une crise cardiaque —
qu'elle avait apprise par un coup de téléphone de la vieille Angèle, le départ préci-
pité en voiture, avec Jilou, pour Le Puy, le
long service funèbre, hier, à l'église, le défilé
de condoléances avec tous ces gens qu'elle
reconnaissait à peine, l'enterrement sous un
tiède crachin de septembre ; ces événements
se bousculaient dans sa tête comme les ima-
ges d'un cauchemar incontrôlable. Avec
cette disparition, c'était tout son passé pro-
vincial et enfantin qui prenait les couleurs
du deuil. Prête à s'attendrir sur elle-même,
elle se reprocha d'avoir si longtemps négligé
sa grand-mère. Absorbée par sa vie à Paris,
elle n'avait fait le voyage du Puy que quatre
fois en six ans. Quant aux lettres, elle les
avait toujours considérées comme des cor-
vées de politesse. Quelques lignes de fade
tendresse, et elle était en règle avec sa conscience. Il lui suffisait de savoir que grand-
mère existait là-bas, inaltérable et grise, sta-
tufiée dans la tradition, la résignation et la
piété. Et voici qu'aujourd'hui elle se retrouvait assaillie de remords. Elle eût voulu
revenir en arrière, revoir sa grand-mère, lui
écrire cent lettres, l'aider à traverser les
rues. Trop tard. Tout était scellé. Sa grand-
mère n'était plus que ce mannequin rigide,

blafard et satisfait qu'elle avait contemplé sur sa couche, les mains jointes, un chapelet entre les doigts. Enfin, Me Pesquin se tut. La verrue s'immobilisa. Jilou se pencha vers Sylvie :

— Tu as bien compris, ma chérie ?

— Oui, oui, balbutia-t-elle, la tête ailleurs.

Mais Jilou connaissait sa fille. Elle tenta de lui expliquer avec des mots simples ce que le notaire venait d'exposer en termes abscons. Au bout d'un moment, comme elle s'embrouillait dans ses commentaires, il intervint à nouveau. Cette fois le discours de Me Pesquin parut plus clair à Sylvie. Elle était l'unique héritière, « l'héritière du sang de Mme Lesoyeux », disait-il. « L'héritière du sang. » Cette formule heurta Sylvie par sa crudité. Elle pensa furtivement à la transmission d'un message de chair entre son père mort, tué par les Allemands en 1944, et elle-même. Selon le dernier testament de « la défunte », établi après le décès, l'année précédente, de tante Madeleine, Sylvie devait recueillir tout l'actif de la succession et en supporter le passif. Ce passif, d'ailleurs, ne serait pas bien lourd. Quant aux legs particuliers, prévus dans le document, ils étaient « modestes » et destinés à deux œuvres de charité et à la domestique Angèle Capougnat.

A la demande de Jilou, Mᵉ Pesquin voulut bien se charger de chercher des acqué-
reurs sérieux pour les immeubles et de
prendre contact avec un commissaire-priseur pour la vente aux enchères du mobilier. D'après le notaire, le résultat serait
tout à fait « convenable ». Il connaissait bien
le patrimoine de Mme Lesoyeux pour s'être
occupé de ses affaires pendant des années.
Un grand terrain aux environs de la ville,
deux maisons de rapport, quelques titres...
Comme Sylvie venait d'avoir vingt et un ans,
la procédure serait plus simple que si elle
avait été mineure. Néanmoins, il y avait des
papiers à signer. Mᵉ Pesquin les avait fait
préparer entre-temps par sa secrétaire. Il
étala plusieurs feuillets dactylographiés
devant Sylvie, sur la table. C'étaient des
« pouvoirs » :

— Si vous voulez lire, mademoiselle...
N'oubliez pas de mettre la date : 17 septembre 1959...

Sylvie avait honte de cette basse cuisine
d'intérêts au lendemain d'un enterrement.
Sa grand-mère venait tout juste d'être enfermée dans son cercueil et déjà on parlait
d'évaluer sa fortune, on comptait les sous
sur la pierre tombale. Elle glissa un regard
vers Jilou. Comme elle était belle avec son
visage aigu, à peine fané par la quarantaine,

ses yeux bruns pailletés d'or et ses mains très fines qui se détachaient sur le fond noir du tailleur ! De toute évidence, rien ne la révoltait dans cette mise en scène. Elle était d'accord avec les laideurs de la vie. « Jamais je ne serai comme elle », pensa Sylvie avec rage. Ses yeux se gonflaient de larmes, la respiration lui manquait. Sans lire les textes que lui soumettait le notaire, elle signa aux emplacements marqués d'une croix.

En se retrouvant dans la rue avec sa mère, elle crut échapper à l'obsession, mais le brouillard persistait dans sa tête. Jilou lui parlait et elle l'entendait à peine. D'un commun accord, elles se rendirent au cimetière. Devant le caveau de famille, Sylvie éprouva d'abord l'impression d'être une intruse. Les morts étaient heureux de se retrouver ensemble. Grand-mère, grand-père, papa, couchés l'un sur l'autre dans leurs boîtes respectives, n'avaient pas besoin des vivants. Curieusement, ce n'était pas à sa grand-mère que Sylvie pensait devant cette dalle, mais à son père. Comme si c'était lui qu'on venait d'enterrer. Malgré ses efforts, elle n'arrivait pas à le ressusciter dans sa mémoire. Son excuse : elle avait six ans lorsqu'il était mort. Et il y avait déjà quinze ans de cela ! Avec le temps qui passait, il était devenu pour elle un mythe, une référence généalogique, quelque chose qui n'avait peut-être jamais existé. En allait-il de même pour Jilou ? Sylvie l'observa à la dérobée. Le visage de sa mère était empreint d'une gravité douloureuse, d'une tendre et secrète réflexion. Sans doute, en ce moment, était-elle entièrement requise par son lointain passé de bonheur à Sallanches. Elle rejoignait en esprit l'homme qui avait été son premier mari. Sylvie lui savait gré d'être encore si proche de son père. Au cimetière, tout redevenait comme avant. Les lèvres de Jilou avaient une petite crispation vulnérable. Pourtant, elle aimait Xavier. Et elle avait aimé celui qui reposait sous cette pierre. Comme c'était complexe, une vie de femme ! Quel mélange de sincérité et d'esquive, de fidélité et de trahison ! Brusquement Sylvie saisit la main de sa mère et la porta à ses lèvres. Jilou lui sourit avec une surprise mélancolique. Les fleurs déposées la veille sur la tombe étaient déjà à demi fanées. Un crépuscule brumeux s'appesantissait sur la ville, en contrebas. Il était temps de rentrer.

— Viens, maman, murmura Sylvie en tirant Jilou par la main.

Elles avaient préféré louer une chambre à l'hôtel plutôt que de loger dans la maison de grand-mère où Angèle faisait les ultimes

10

rangements. Demain, on rendrait une dernière visite aux lieux où s'était déroulée l'enfance de Sylvie, on mettrait de côté quelques objets pour les soustraire à la vente, on préparerait la dispersion de ces pauvres épaves d'une vie de solitude et de dignité. Dure journée en perspective. Puis ce serait le retour à Paris. Une longue route à travers les paysages admirables de l'automne. Elles conduiraient à tour de rôle. Jilou se détourna de la pierre tombale et prit le bras de sa fille. Le vent s'était levé. Il faisait froid tout à coup dans le cimetière. Les morts chassaient les vivants de leur enclos. Soudées l'une à l'autre, elles reprirent, à petits pas, le chemin de la ville. La rue descendait en pente raide. Jilou vacillait sur ses hauts talons. Au bout d'un moment, Sylvie demanda :

— Tu y crois, toi, maman, à la réunion, après la mort, des êtres qui se sont beaucoup aimés ?

— Je ne sais pas, dit Jilou. C'est un grand mystère. Trop grand sans doute pour nos pauvres cervelles humaines.

— Moi, je suis sûre que tout continue làbas... Autrement la vie n'aurait pas de sens...

— Pourquoi as-tu besoin que la vie ait un sens ?... Elle s'écoule, voilà tout, avec ses heures claires et ses heures sombres... Il faut savoir, tour à tour, goûter les unes et se résigner aux autres...

— Je ne peux pas me résigner... Grand-mère a dû être triste que je ne sois pas venue la voir plus souvent !

— Ne te figure pas ça, Sylvie. Elle comprenait très bien que ta vie ne passait plus par Le Puy, que ta jeunesse te portait ailleurs, que, tout en l'aimant, tu avais moins besoin d'elle. Du reste, tu me l'as dit toi-même, elle n'avait plus aucun goût pour les choses de ce monde. Sa foi en Dieu la soutenait dans l'attente de la fin. Elle a eu la mort qu'elle souhaitait, calme et soudaine. Elle n'a pas souffert. Le docteur nous l'a confirmé. C'est beaucoup de chance !...

— En effet, soupira Sylvie, beaucoup de chance. Tu as peur de la mort, maman ?

— Oui, dit Jilou avec une moue coupable.

Il y avait un tel charme dans cet aveu que Sylvie se serra plus étroitement encore contre sa mère. Et subitement elle songea qu'un jour ou l'autre Jilou, à son tour, ne serait plus pour elle qu'une dalle dans un cimetière. Cette idée la frappa avec tant de force qu'elle la rejeta aussitôt. Tout chancelait. Elle se mordit les lèvres pour ne pas pleurer, accéléra le pas et, réagissant contre son angoisse, s'écria avec une fausse gaieté :

— Nous devrions aller au restaurant, ce soir.

— Je n'ai pas très faim, dit Jilou.

— Tu te forceras. Et tu te feras belle !

— Pour qui ?

— Mais... pour moi, maman, répondit Sylvie.

A peine eurent-elles regagné leur chambre d'hôtel que le téléphone sonna. Comme Jilou s'était réfugiée dans la salle de bains, Sylvie se précipita pour répondre. La voix de Xavier lui parvint, toute proche, toute chaude, malgré la distance. Une douce vibration la parcourut de la nuque aux talons. Il était là, comme toujours aux heures difficiles, attentif et tendre, impatient de partager leur peine à toutes deux.

— Ma Sylvie, comme tu dois être triste !... J'imagine vos soucis, votre fatigue, votre chagrin... Je voudrais tant être auprès de vous !... Qu'avez-vous fait aujourd'hui ?

Sylvie fondait de gratitude.

— Nous sommes allées chez le notaire, dit-elle. C'était sinistre ! Je n'ai pas compris grand-chose... Mais Jilou t'expliquera... Et toi ?... Tout va bien à la maison ?...

— On ne peut mieux... Si ce n'est que je m'ennuie de vous à périr !...

Jilou arriva sur ces entrefaites. Sylvie lui tendit le téléphone et passa elle-même dans la salle de bains. Par la porte entrebâillée, elle entendait des bribes de la conversation. Il lui semblait que sa mère avait une voix plus mélodieuse, plus affectée que d'habitude. Du cimetière à la chambre d'hôtel, quel changement ! Sans doute toute femme devait-elle, pour survivre, oublier de temps à autre les zones d'ombre qu'elle portait en elle et qui la nourrissaient à son insu. Sylvie tourna un robinet. L'eau chaude coula dans la baignoire avec un bruit monotone. Une légère buée ternit la glace du lavabo. A travers ce voile de vapeur, Sylvie contemplait son visage aux lèvres fortes et aux larges yeux noirs effilés vers les tempes. Elle ne se jugeait pas jolie mais admettait que, comme le disait Olivier, elle avait « un physique qu'on n'oubliait pas », presque « inquiétant » par l'intensité du regard. Dans la chambre, la voix de Jilou s'était tue. Elle avait raccroché.

— Xavier est complètement perdu sans ses « deux femmes », comme il dit ! annonça-t-elle en rentrant dans la salle de bains.

— Il faut nous dépêcher si nous voulons sortir, fit observer Sylvie.

Jilou se déshabilla en un tournemain et apparut nue devant sa fille. Une fois de plus, Sylvie admira le charme impudique de sa mère. Svelte, les seins hauts, les hanches dansantes, le ventre moelleux, Jilou relevait ses cheveux sur sa nuque et les fixait avec des épingles. Elle était le symbole de la grâce, de la beauté, de la joie si éphémère de vivre, face au gouffre noir de la mort.

— J'en ai pour deux minutes, dit-elle en enjambant le bord de la baignoire.

— Vas-y, dit Sylvie. Je prendrai ta suite. J'ai un coup de téléphone à donner.

— Olivier ? demanda Jilou d'une voix légère.

— Oui, répondit Sylvie.

Et elle se sentit rougir comme lorsqu'elle avait quinze ans.

II

Réveillée à l'aube, Sylvie se haussa sur un coude, regarda sa mère qui dormait dans le lit voisin et se faufila dans la salle de bains pour faire sa toilette. Quand elle rentra, tout habillée, dans la chambre, Jilou n'avait pas encore ouvert les paupières. Son visage lisse, couché de profil sur l'oreiller, exprimait une mystérieuse sérénité. Sylvie sortit sur la pointe des pieds. Il était six heures et demie du matin. La rue était encore embrumée et déserte. Une cloche sonnait au loin. Quelques vieilles femmes en noir se hâtaient vers l'église. La maison de grand-mère était à cent pas de l'hôtel. Sylvie avait la clef.

Elle ouvrit la porte et gravit l'escalier intérieur, attentive au grincement des marches, hantise de ses nuits d'enfant. Toute la maison craquait comme autrefois. On eût dit qu'elle était encore habitée. Jilou et sa fille avaient bien travaillé pendant ces quelques jours d'agitation, de démarches et de deuil. Tous les meubles avaient été triés, inventoriés par leurs soins à l'intention du commissaire-priseur. Il ne restait plus grand-chose à régler sur place. En pénétrant dans le salon, Sylvie découvrit Angèle qui faisait le ménage. Pour qui ? Pour quoi ? La servante lui tournait le dos. A moitié sourde, elle ne l'avait pas entendue entrer. Voûtée, noueuse, un chiffon à la main, elle s'obstinait à astiquer une commode. Sylvie lui toucha l'épaule. Angèle se redressa et un sourire édenté troua sa face jaune et ridée :

— Oh ! mademoiselle Sylvie... Je ne vous attendais pas si tôt...

Sa voix, mal contrôlée, était éraillée et criarde. Elle avait pris la main de Sylvie dans ses deux mains et la secouait mollement.

— Il y a tant à faire ici ! reprit-elle. La poussière de la rue... Madame me disait qu'il fallait passer le chiffon deux fois par jour si on voulait que la maison reste propre...

Contemplant tour à tour ces mains crochues, bosselées, tavelées qui emprisonnaient la sienne et ce visage d'humble résignation,

18

Sylvie se demandait si Angèle avait bien compris que grand-mère était morte et que son rôle à elle, dans la maison, était terminé.

— Le notaire m'a dit, bredouilla Angèle. Alors c'est vrai, tout ça, ça va être vendu ?

— Pas tout, dit Sylvie. Je garde quelques objets.

Elle devait crier pour se faire entendre.

— Ah ! bon... Tout de même, c'est dommage !

— On ne peut pas faire autrement, Angèle...

— Oui, oui...

Le regard implorant de la servante ne quittait plus le visage de Sylvie.

— Comme vous êtes jolie ! dit-elle enfin. Vous ressemblez de plus en plus à ce pauvre monsieur Bernard. Les yeux surtout ! Je me souviens si bien de lui... Oui, si bien !... Ah ! mon Dieu !...

Ses doigts se crispaient sur la main de Sylvie. Elle dodelinait de la tête. Sylvie se dégagea doucement.

— Je vous laisse, Angèle. J'ai beaucoup à faire, de mon côté. A tout à l'heure...

Elle se rendit dans la chambre de grand-mère où la vue du lit vide, avec ses couvertures pliées sur le matelas au coutil rayé, la frappa douloureusement. Dans l'armoire qu'elle ouvrit, il y avait les trois robes noires de la morte, son manteau, son chapeau, ses chaussures, le tout réservé à Angèle. Sur le rayon du haut, s'alignaient des boîtes étiquetées : *Lettres de mon fils, Lettres de mon époux, Lettres de ma petite-fille...* Sylvie déposa ces cartons par terre, s'assit sur la carpette, au milieu du naufrage, et parcourut quelques lettres de son père. Elles étaient d'une insignifiance affligeante par rapport à celles qu'il adressait jadis à Jilou. Manifestement il n'avait éprouvé pour sa mère qu'une affection convention- nelle. Dans la boîte marquée : *Ma petite-fille*, Sylvie retrouva avec émotion, rangées par dates, les rares lettres qu'elle avait écrites après son départ du Puy, quelques missives enfantines calligraphiées à l'occasion de Noël, et même des devoirs annotés par ses professeurs : « De bonnes idées, mais quelle orthographe ! » Le dernier envoi était une carte postale expédiée en août 1959, alors qu'elle passait ses vacances à Cannes avec Jilou et Xavier : « Temps superbe. Je me bai- gne. Tout le monde va bien. Maman et moi vous embrassons très affectueusement. — Sylvie. » Ces bouts de papier dérisoires représentaient donc, aux yeux de grand- mère, des reliques dignes d'être sauvées de l'oubli. Sous une apparence sévère, presque revêche, elle était capable d'une certaine ouverture de cœur. Que connaissons-nous des êtres qui nous sont le plus proches ? Jilou elle-même demeurait pour Sylvie une énigme indéchiffrable. Sans doute n'allait-elle pas tarder à venir pour achever l'inventaire. Bravement, Sylvie décida de livrer les lettres au feu. Elle entassa les papiers pêle-mêle dans l'âtre de la cheminée, entre les chenets, et craqua une allumette. La flamme mordit les feuillets éparpillés, crépita, bondit. A croupetons devant le brasier, Sylvie regardait se consumer ces vestiges d'une vie banale entre toutes et cependant irremplaçable. Un sacrilège ? Non. Ces pages appartenaient à grand-mère seule. Si elle n'avait pas eu une mort foudroyante, elle les aurait détruites elle-même pour ne pas les laisser traîner derrière elle.

De nouveau les marches de l'escalier grincèrent. Jilou parut sur le seuil.

— Il y a longtemps que tu es là ? demanda-t-elle.

— Je ne sais pas, dit Sylvie. Je ne me rends pas compte...

— Pourquoi ne m'as-tu pas réveillée ?

— Tu dormais si bien ! Et c'était tellement triste, ici !

— Justement ! Il faut que nous soyons toujours ensemble ! Tu brûles des lettres ?

— Oui, tu vois... Il y en a une quantité !... Je n'ai pas eu le courage de les trier...

Elles passèrent dans le salon où Angèle, un plumeau à la main, époussetait à présent la pendule.

— C'est absurde ! murmura Jilou. Il faut lui dire...

Sylvie mit un doigt sur ses lèvres :

— Laisse-la faire, maman. Elle est heureuse comme ça...

Quand elle s'avisa de leur présence à toutes deux, Angèle eut une exclamation de bienvenue.

— Bonjour, madame Bernard. Vous voyez, on s'occupe comme on peut, mademoiselle Sylvie et moi !

Et elle reprit son travail. Les volets étant à demi fermés, une légère pénombre régnait dans la pièce. L'air était imprégné d'une odeur d'encaustique. Chaque objet, ici, avait son histoire, sa signification secrète. Sylvie reconnaissait dans ce décor immuable les itinéraires de son enfance. Et dire que la plupart de ces meubles allaient passer en des mains étrangères ! Ceux qu'elle avait décidé de garder — un secrétaire Louis XVI, une paire de chaises de même style, un guéridon d'acajou — avaient été réunis dans son ancienne chambre et seraient acheminés plus tard vers Paris par un transporteur. Bien entendu, elle emporterait les bijoux, l'argenterie. Elle les avait retrouvés intacts dans leurs écrins en ouvrant avant-hier le coffre-fort de la chambre de grand-mère. Sur le rayon, un carton portant cette inscription tracée d'une main tremblante : *Pour Sylvie*. Combien de fois grand-mère avait-elle étalé bagues, colliers, couverts d'argent devant sa petite-fille pour la convaincre de leur valeur ! C'était son obsession : transmettre ce modeste trésor à celle en qui se réincarnait le fils qu'elle avait perdu. N'était-ce pas lui seul qu'elle avait aimé à travers Sylvie ?

Par la porte de communication ouverte sur la salle à manger, Sylvie voyait le portrait de son père, pendu au-dessus du buffet. Ce tableau, qui l'avait terrorisée dans son enfance, exerçait encore sur elle une fascination malsaine. La joue appuyée sur le poing, le sourire figé, l'œil sévère, un inconnu l'observait du fond de la toile. Le peintre trop habile s'était acharné sur les détails : des cheveux aux boutons de manchettes, tout était parfait. Mais l'ensemble dégageait une impression de ratage funèbre, de ridicule application.

— Cette croûte, quelle horreur ! dit Jilou. Ça n'a rien à voir avec ton père ! Je me demande pourquoi ta grand-mère y tenait tant !

— Tu sais bien : c'est un de ses amis,

M. Poirier, qui avait peint le portrait d'après une photo, dit Sylvie.

— Une photo tellement posée qu'elle en était ridicule !

— Oui. En tout cas, on ne peut pas laisser ce tableau ici. Aide-moi à le descendre, maman.

Sylvie monta sur une chaise pour décrocher le portrait tandis que Jilou le soutenait par en bas. Angèle les regardait avec une crainte mêlée de réprobation. Le cadre doré était si lourd qu'il faillit échapper des mains de Sylvie. Elle se sentit coupable mais cette idée n'entama en rien sa décision. Elle avait hâte soudain de quitter cette maison, cette ville, ces souvenirs lugubres. Que Me Pesquin fasse le nécessaire, que le feu dévore les lettres, que les déménageurs emportent les meubles, que tout soit nettoyé, aboli, que rien ne reste ici du passé de la famille Lesoyeux !

Jilou et Sylvie couchèrent le tableau sur le parquet de la salle à manger. Puis, armée de tenailles, Sylvie le désencadra. Ayant détaché la toile du châssis, elle la roula pour l'emporter. A Paris, elle la reléguerait au fond d'un placard et on n'en parlerait plus. Angèle éleva une protestation pitoyable :

— Oh ! pourquoi, mademoiselle ?... C'était si joli avec le cadre !... Vous allez tout abîmer !...

24

Au même instant, il y eut un déclic dans la tête de Sylvie. A quoi bon s'embarrasser de ce sinistre barbouillage ? Sa volonté changea de direction. Ayant déroulé la toile, elle la plia en quatre et marcha, le visage dur, vers la chambre de grand-mère. Dans l'âtre les lettres n'étaient plus qu'un tas de paperasses calcinées où couraient de rares étincelles. Sylvie disposa de vieux journaux chiffonnés sur les cendres qui se rallumèrent soudain. Quand les flammes furent assez hautes, elle y jeta le portrait exécré. Le feu s'étouffa pendant quelques secondes et repartit dans un sifflement coléreux. Une épaisse fumée se répandit dans la pièce avec un relent d'huile et de tissu brûlé. Pour être sûre de tout détruire, Sylvie rajouta des journaux sur le brasier. Attirée par l'odeur, Angèle surgit dans l'encadrement de la porte. La face ravagée par l'épouvante, elle cria d'une voix aiguë :

— Mademoiselle Sylvie !... Mademoiselle Sylvie !... Ce n'est pas possible !... Arrêtez !... Cette belle peinture !... Votre papa !... Madame y tenait tellement !...

Jilou entra à son tour, saisit la main de sa fille et balbutia :

— Que fais-tu là ?

— Ce que je dois faire, maman ! répondit Sylvie avec une fureur iconoclaste. Pardonne-

moi... Mais ce portrait, je l'ai toujours dé-
testé... Il a été... il a été néfaste pour moi !...
Il a tout gâché dans mon enfance !... Il a tué
mes souvenirs !...

Et elle s'abattit en larmes contre la poitrine de sa mère.

— Oui, Sylvie, calme-toi, chuchota Jilou
en la berçant.

— Tout s'en va ! dit Angèle. C'est la fin !...
Le bon Dieu ne veut plus de nous !... Sans
doute que je suis trop vieille !...

Et elle s'éloigna d'une démarche boitil-
lante.

La toile se recroquevillait, grésillait, avec
des gonflements de cloques et de suinte-
ments noirâtres. Entourant de son bras les
épaules de sa fille, Jilou l'emmena hors de
la chambre. Dans le couloir, elles se heurtè-
rent à Angèle qui revenait sur ses pas. Elle
s'était ressaisie. Son vieux visage n'exprimait plus qu'une soumission amorphe.

— Si Madame et Mademoiselle veulent
bien passer dans la cuisine, dit-elle.

Sylvie et Jilou échangèrent un regard
étonné et emboîtèrent le pas à la vieille
femme. Sur la table de la cuisine, il y avait
deux bols, une cafetière, un pot de lait, des
tartines beurrées dans une assiette et une
jatte de confiture de framboises. Sylvie respira une moelleuse odeur de café et de pain

chaud. Elle avait faim. Ni elle ni Jilou n'avaient pris de petit déjeuner avant de quitter l'hôtel. Elles remercièrent Angèle, s'assirent face à face et se servirent. Comme tout était simple soudain : le chagrin et l'appétit, la vie et la mort.

— Si vous avez besoin de quelque chose, appelez-moi, dit Angèle en se retirant. Je suis à côté...

Quand elle fut partie, Sylvie soupira :

— Je lui ai fait de la peine ! Elle est si vieille ! Tu les imagines toutes les deux, grand-mère et elle ? Grand-mère à demi aveugle et elle à demi sourde !... Ce devait être atroce !... Que va-t-elle devenir maintenant ?

— Elle retournera dans son village, auprès de sa fille. Ta grand-mère lui a laissé de quoi vivre, par testament. Et nous ne l'oublierons pas non plus. J'ai préparé une enveloppe pour elle. Tu la lui donneras avant de partir. Puis nous lui enverrons quelque chose de Paris.

Sylvie prit l'enveloppe de la main de sa mère. Elle ne regarda même pas ce qu'il y avait dedans. Pouvait-on guérir une plaie en appliquant dessus des billets de banque ? La vie était laide, brutale, injuste... Jilou avait les yeux humides. Sur qui s'apitoyait-elle ? Sur grand-mère, sur Angèle, sur son premier mari mort si jeune, sur sa fille qui

prenait tout trop à cœur ou sur elle-même ?
Avec une brusque autorité, Sylvie décréta :

— Maman, il ne faut plus rester. Partons
pour Paris. Tout de suite. Nous n'avons plus
rien à faire ici.

— Tu as raison, dit Jilou.

Elles se levèrent de table. Angèle survint,
affolée :

— Vous vous en allez déjà ?

— Oui, dit Sylvie en forçant la voix. Mais
auparavant je vais tout vous indiquer, une
fois de plus, pour les meubles. C'est très
simple. Écoutez-moi bien, Angèle...

Elle reprit ses explications. Ayant fait le
tour de l'appartement, elles se retrouvèrent,
toutes trois, dans l'antichambre.

— Eh bien, voilà, je crois que nous nous
sommes tout dit ! murmura Sylvie.

Et soudain, fourrant maladroitement l'enveloppe dans la main de la vieille servante,
elle cria :

— Pour vous, Angèle !... Merci !... Merci !...
Pardon !... Merci !...

La honte l'étouffait. Cette charité était
trop facile. Elle embrassa Angèle avec
emportement et se précipita dehors.

III

Peu de monde sur la route. Une bruine à peine perceptible descendait du ciel et mouillait le pare-brise. On aurait pu rouler plus vite. Mais Jilou, au volant, était prudente. Selon son habitude, elle avait mis pour conduire ses gants de pécari culottés par l'usage. Assise à côté d'elle dans la voiture, Sylvie savourait le soulagement d'avoir enfin quitté Le Puy. En s'éloignant de la ville du deuil, elle retrouvait le droit de penser à elle-même. Depuis son départ de Paris, elle avait reçu, coup sur coup, trois lettres d'Olivier, à l'hôtel. Des lettres farfelues, dont certaines phrases chantaient encore dans sa mémoire : « En ton absence, je traverse la vie comme un somnambule... Je ne puis penser à autre chose qu'à ton corps... J'ai envie de te dévorer vivante et de me laisser dévorer par toi... Reviens vite ou je vais me fracasser le crâne contre un mur !... » Elle le revit avec sa mâchoire large, son regard ahuri, ses cheveux de paille ébouriffés où il passait la main, de temps à autre, d'un geste nerveux. Comme il l'aimait ! Comme il était agréable d'être pour quelqu'un la seule dispensatrice de la joie et de l'angoisse ! Tout en lui était excessif. Fou de dessin et de peinture, il avait la tête dans les nuages. Quand elle se trouvait auprès de lui, elle n'avait pas l'impression de partager la vie d'un homme fait. Puéril, exalté et imprévisible, il était un ludion dansant selon les variations de la pression atmosphérique. Ainsi éprouvait-elle pour lui de la tendresse et de l'amusement, sans jamais le prendre au sérieux. Au vrai, elle se délectait à l'idée que la part la plus importante de sa vie se déroulât à l'insu de ses parents. C'était sa revanche sur le train-train quotidien, son jardin secret, son luxe coupable. Leur liaison durait déjà depuis trois ans. Peut-être n'était-elle pas faite pour le mariage ? Peut-être était-ce l'attachement viscéral qu'elle avait pour Jilou qui l'empêchait de « fonder un foyer », selon l'expression désuète de grand-mère ? Malgré son caractère impétueux, elle avait besoin de l'approbation de Jilou pour être sûre de ses choix. Si sa mère avait ouvertement critiqué Olivier, elle se fût révoltée sur le moment, puis, cédant à la désillusion, elle ne l'eût plus vu avec les mêmes yeux. Mais Jilou, qui avait souvent rencontré Olivier lors de soirées amicales, à la maison, entre filles et garçons, ne lui en avait jamais parlé, ni en bien ni en mal. Pourquoi ?

La bruine s'était muée en pluie. Le paysage se diluait sous le fouettement saccadé des balais de l'essuie-glace. On traversait un village gris aux toits luisants. Jilou ôta un de ses gants en tirant sur l'extrémité des doigts de cuir avec ses dents et posa sa main nue et chaude sur la main de Sylvie. Son autre main tenait le volant. Sans tourner la tête, elle dit tout à trac :

— Où en es-tu avec Olivier ?

Cette communion de pensées étonna Sylvie. Sa mère se doutait donc de quelque chose. Tant de perspicacité tenait de la sorcellerie. Le cœur battant vite, elle murmura :

— Pourquoi me demandes-tu ça, maman ?

— Parce que je te connais bien. Je sens qu'Olivier est amoureux fou de toi. Et ça ne date pas d'aujourd'hui. Comment vit-il ?

— Il travaille comme maquettiste aux éditions Aster.

— Ça, je le sais. Mais où habite-t-il ? Toujours chez ses parents ?

— Non. Il a une chambre au-dessus de leur appartement. Il l'a arrangée d'une façon très rigolote.

— Tu es donc allée chez lui ?

Sylvie eut l'impression que sa mère lui plongeait la tête sous l'eau. La respiration lui manquait.

— Oui, avoua-t-elle enfin avec bravade.

Le délicat profil de Jilou était toujours tendu vers l'horizon. Il y eut un long temps mort, occupé par le ronron discret du moteur. Puis Jilou demanda :

— Est-ce que tu te vois mariée avec lui ?

— Absolument pas ! s'écria Sylvie.

— Pourquoi ?

— Voyons, maman, réfléchis... Olivier est adorable, mais, comment dire, on ne peut pas s'appuyer sur lui... C'est... c'est de la fumée... Il n'est pas... Il est...

Elle s'embrouillait dans ses phrases. Prise d'une volubilité soudaine, elle se lança dans une analyse du caractère d'Olivier, mais, par une étrange contradiction, plus elle insistait sur ses défauts, plus il lui devenait cher. Elle finit par dire avec élan :

— Tu comprends, il n'est pas du tout comme Xavier !

— C'est même le jour et la nuit, reconnut Jilou.

— Tu sais que tu as beaucoup de chance, maman ?

— *Nous* avons beaucoup de chance, ma chérie.

Jilou souriait sans que son regard quittât la route. Il y avait dans son comportement une désinvolture, un primesaut, un charme léger qui subjuguaient sa fille. « Auprès d'elle, je pèse une tonne ! » se dit Sylvie avec une admiration envieuse. Elle respirait le tiède parfum de sa mère et se détendait après l'assaut. La main droite de Jilou se posa sur le volant, le temps de doubler une voiture, puis revint sur la main de Sylvie. Cette caresse était celle de la compréhension et de la confiance.

— Maintenant que tu es « majeure », comme dirait Me Pesquin, tu n'aimerais pas habiter loin de nous, seule dans un studio ? demanda Jilou.

Interloquée, Sylvie bredouilla :

— Comment ça, maman ?

— On pourrait chercher quelque chose à louer dans le quartier. Nous nous en occuperons toutes les deux, si tu veux, dès notre retour à Paris.

Une joie faite de gratitude et de fierté éclata dans la poitrine de Sylvie. Sa chance l'effrayait même un peu. Tout était simple avec Jilou. Dédaignant la morale bourgeoise, elle avait une conception moderne de l'existence. Elle comprenait les jeunes. Elle était jeune elle-même. Aussi jeune que sa fille. Unies par l'âge, la tendresse et le goût de vivre, elles traversaient la France sous un ciel de pluie. Tout le monde était heureux sur terre, des deux côtés de la route. L'univers entier souriait à cette voiture qui roulait sagement parmi cent autres, dans le crépuscule, vers le halo lumineux de Paris. Comme le brouillard humide s'épaississait, Jilou alluma ses phares.

— Tu es formidable, maman ! s'exclama Sylvie en entrelaçant ses doigts aux doigts de sa mère dans une crispation amoureuse. Si je loue un studio, il faut absolument que je me mette à gagner ma vie !

— C'est une bonne idée !

— Je voudrais trouver une place d'interprète dans une agence de voyages, ou un truc comme ça... Qu'en penses-tu ?

— Pourquoi pas ?

Sylvie suivait depuis quelques mois des cours d'anglais à l'institut Magellan, où un enseignement approprié permettait, selon les prospectus, la formation accélérée des élèves. Mais, en vérité, ses progrès demeuraient lents et son assiduité aux exercices pratiques était intermittente. Elle décida d'être plus appliquée à l'avenir pour se préparer à entrer, avec toutes les chances de succès, dans la vie professionnelle. On eût dit que la mort de sa grand-mère, qui aurait dû l'abattre, lui donnait du ressort. Elle tourna machinalement les boutons du poste de radio sur le tableau de bord. Une musique gaie emplit la voiture. Elle aurait pu imaginer un ballet sur cet air-là. Qu'il était loin le temps où elle se passionnait pour la danse ! Elle rêva avec nostalgie à des bondissements aériens sous la lumière crue des projecteurs. Cet espoir d'excellence appartenait à une autre vie. Et presque à un autre personnage. Elle le regrettait parfois. Elle changea de longueur d'ondes. Une voix caverneuse annonçait les nouvelles de la mi-journée : la guerre d'Algérie, les dernières déclarations du général de Gaulle, les rumeurs d'autodétermination... Heureusement, Olivier n'avait pas été mobilisé. Une histoire de « souffle au cœur ». Comme elle, à peu de chose près, lorsqu'elle avait dû renoncer à ses ambitions chorégraphiques. La politique l'ennuyait. Elle revint à l'émission musicale.

— Si l'entrée de Paris n'est pas trop

encombrée, nous arriverons vers huit heures du soir, juste pour le dîner, dit Jilou.

Sa voix était joyeuse : sans doute pensait-elle à ses retrouvailles avec Xavier. Elle lui avait téléphoné du Puy avant de partir.

— Tu me laisses conduire, maman ? dit Sylvie.

Jilou arrêta la voiture au bord de la route. Elles permutèrent sous une pluie fine. Sylvie démarra. Elle conduisait vite. Une mélodie allègre l'enveloppait et accentuait son plaisir d'être enfermée dans une boîte de tôle avec Jilou. Lancées toutes deux à travers l'espace, elles étaient enfin seules au monde, sans personne pour les déranger dans leur amour et leur secret.

IV

Il y avait quinze jours que Sylvie et Jilou étaient entrées en campagne, épluchant les annonces du *Figaro*, courant le seizième arrondissement, visitant des studios à louer, tous plus décevants les uns que les autres. De guerre lasse, Sylvie avait fini par s'adresser à un agent immobilier, Mlle de Connafieu, dont une amie de Jilou vantait la compétence et les nombreuses relations. Mais Mlle de Connafieu, qui ne s'occupait pas personnellement des locations, avait chargé de l'affaire sa collaboratrice, Mme Gontrand. Après plusieurs essais infructueux, celle-ci avait téléphoné à Sylvie pour lui signaler qu'elle avait enfin quelque chose d'intéressant à lui proposer, rue Spontini. En allant à ce nouveau rendez-vous, Sylvie était sceptique. Elle avait subi

trop de déconvenues pour espérer aujour-
d'hui un miracle. Comme elle arrivait, à dix
heures et demie précises, devant l'immeuble
dont Mme Gontrand lui avait donné
l'adresse, elle fut surprise de trouver à la
porte d'entrée, sur le trottoir, à la place de
l'opulente personne blonde et couperosée
qui la pilotait d'habitude, une vieille petite
femme sèche, ratatinée, parcheminée, avec
un regard noir et assuré. L'inconnue fit un
pas vers elle, lui tendit la main et dit :

— Mademoiselle Lesoyeux, je suppose. Je
suis Madeleine de Connafieu. Vous aviez rendez-vous avec ma collaboratrice, Mme Gontrand. Mais elle s'est réveillée avec 39° de
fièvre, ce matin. Une mauvaise grippe, sans
doute. Je n'ai pas voulu vous décommander.
Nous allons visiter ce studio ensemble, si
vous voulez bien. Cependant, je doute que
vous soyez séduite. C'est un rez-de-chaussée. Enfin, vous verrez...

Dix minutes plus tard, Sylvie était fixée :
le studio, exigu et sombre, ressemblait à une
cellule de prison. La pièce principale était
comme hantée par le va-et-vient des passants. On ne devait pas se sentir chez soi
dans cet antre dont les fenêtres ouvraient
sur la rue à hauteur du trottoir.

— Je vous avais prévenue, dit Mlle de
Connafieu en sortant. Je ne voulais même

pas vous montrer ça. Mais Mme Gontrand vous avait promis... Vous tenez absolument au seizième arrondissement ?

— Je ne voudrais pas m'éloigner de mes parents qui habitent avenue Victor-Hugo, dit Sylvie.

— Oui, oui, je comprends... Mais c'est dommage. J'ai sur la rive gauche, dans le sixième, rue Jacob, un véritable bijou. Ni trop grand ni trop petit. Libre immédiatement. Si vous avez un moment, nous pourrions y aller tout de suite. Cela ne vous engage à rien.

Tandis que Mlle de Connafieu parlait d'une voix amortie, Sylvie subissait le charme de cette vieille petite personne squelettique, active et résolue, qui semblait prendre tant d'intérêt à son cas. Chaussée de souliers plats, vêtue d'un tailleur gris fer, Mlle de Connafieu portait une fine résille sur ses cheveux d'argent. Un ample sac de cuir pendait à son bras. Quel âge pouvait-elle avoir ? Soixante-dix ans, quatre-vingts ans ? A coup sûr, c'était une contemporaine de grand-mère. De temps à autre, un franc sourire éclairait son visage émacié. Alors une fillette rayonnait sous ses rides.

— Prenons un taxi et allons-y ! décida-t-elle avec un entrain sportif.

Sur le point de céder, Sylvie hésitait encore.

— Si c'est tellement bien, j'aimerais que ma mère soit avec nous, dit-elle.

— Alors téléphonez-lui. Nous l'attendrons dans un café.

Cette fois, Sylvie acquiesça. Mlle de Connafieu l'entraîna vers un bistrot voisin. De là, Sylvie téléphona à sa mère. Par chance, Jilou était à la maison et tout à fait disposée à venir.

— Eh bien, vous voyez comme c'est simple ! s'écria Mlle de Connafieu quand Sylvie eut regagné leur table. Que prenez-vous ? Pour moi, ce sera un thé citron.

— Pour moi aussi, dit Sylvie.

Elle était tout égayée soudain devant cette inconnue d'un autre siècle.

— Vous avez un métier bien dur, lui dit-elle.

— Ce n'est pas un métier, c'est une passion ! répondit Mlle de Connafieu. Quand je cours à travers Paris, je ne sens ni mon âge ni ma fatigue. Vous savez, je travaille surtout par relations. J'aime les maisons et j'aime les gens. Chaque client est pour moi un cas nouveau, avec ses secrets, ses préférences, ses habitudes...

Elle se tut pour laper son thé avec une délicatesse de chatte.

— Et vous, que faites-vous dans la vie ? demanda-t-elle enfin.

Sylvie parla de ses études, de son désir

d'indépendance, de l'attitude si moderne de ses parents à son égard.

— Oui, oui, dit Mlle de Connafieu. Je suis au courant par la conversation que j'ai eue avec votre mère, lorsqu'elle m'a téléphoné pour la première fois. Vous êtes exactement telle que je vous imaginais ! Charmante ! Quel âge avez-vous ?

— Vingt et un ans.

— Déjà !

Le regard sombre et aigu de Mlle de Connafieu la perçait à jour. Elle semblait toujours sur le qui-vive, prête à évaluer la superficie d'un local ou la capacité de résistance d'un client.

Jilou se présenta sur ces entrefaites. Elle était venue en voiture. L'idée que sa fille pût habiter sur l'autre rive de la Seine ne la contrariait pas.

— Plus tu seras loin de nous, plus tu auras envie de nous voir, dit-elle en riant. Et puis, je raffole du sixième !

Mlle de Connafieu l'approuva :

— Un quartier délicieux. Un coin de province dans Paris. J'habite moi-même à deux pas de la rue Jacob : rue de Furstenberg.

En arrivant devant la voiture, un cabriolet Facel-Véga, Mlle de Connafieu se plia en deux, avec une étonnante souplesse, pour s'installer sur le siège arrière.

— Non, non, vous y serez très mal, dit Jilou en la retenant par le bras. Passez devant.

Mlle de Connafieu protesta mais finit par obéir. Ce fut Sylvie qui prit le volant. Elle n'avait guère l'habitude de conduire dans Paris mais se faufila avec aisance jusqu'à la rue Jacob. Elle trouva même à se garer dans la rue Saint-Benoît.

La maison vers laquelle se dirigea Mlle de Connafieu avait une façade grise, noble et usée, qui datait sans doute du dix-huitième siècle, et une cour intérieure pavée qu'entouraient des corps de bâtiment en fer à cheval. Dans cette cour, un lierre au feuillage léger tapissait les murs, contournait les fenêtres et donnait à l'ensemble un aspect paisible et campagnard. Le studio était situé au troisième étage. Pas d'ascenseur. On s'engagea, en file indienne, dans l'escalier. La main sur la rampe, Mlle de Connafieu grimpait allégrement les hautes marches de bois, creusées en leur centre. Elle paraissait infatigable et sereine. Jilou et Sylvie lui emboîtaient le pas. Sur le palier du troisième étage, Mlle de Connafieu souffla un peu, choisit une clef dans un trousseau et ouvrit une porte. Le studio était, en fait, un appartement de trois petites pièces en enfilade, basses de plafond, très claires et très silencieuses, avec une salle de bains et un

« coin-cuisine » récemment aménagés. Dès le premier coup d'œil, Sylvie fut conquise. Elle se voyait déjà allant et venant dans cet intérieur d'une élégante simplicité. Avant même d'y avoir emménagé, elle était chez elle. Avec un espoir fou, elle chercha le regard de sa mère. Jilou poursuivait son inspection de chambre en chambre, en silence. Mlle de Connafieu, elle aussi, se taisait. L'instant était solennel. Enfin Jilou demanda :

— Et quelles sont les conditions ?

Mlle de Connafieu eut une grimace coupable.

— C'est un peu spécial, dit-elle. En réalité, cet appartement n'est pas à louer. Il est à vendre. Mais à un prix si raisonnable que j'ai voulu quand même vous le montrer.

L'enthousiasme de Sylvie retomba. Son rêve lui échappait.

— Ce n'est même pas la peine d'y penser, dit-elle.

Mais Jilou ne bronchait pas. Son visage s'était durci dans une méditation calculatrice. Au bout d'un moment, elle se tourna vers Sylvie et prononça d'une voix calme :

— C'est charmant ! Qu'en dis-tu ?

— J'en dis que... bien sûr... Mais c'est absurde !... A quoi bon ?...

— Le propriétaire en demande six millions, dit Mlle de Connafieu.

L'énormité de la somme ahurit Sylvie.

— Je parle bien entendu en francs normaux, précisa Mlle de Connafieu. Je ne peux pas m'habituer à ces nouveaux francs qu'on prétend nous imposer. Soixante mille, si vous préférez.

Jilou laissa courir ses regards à droite, à gauche, fit quelques pas et soupira :

— Dommage ! Tout à fait dommage ! C'est beaucoup trop cher pour nous !

— Rien ne vous empêche de discuter ! rétorqua Mlle de Connafieu. Je connais personnellement le propriétaire. C'est un ami, un homme de qualité. Il a définitivement quitté Paris. Je peux très bien lui faire une contre-proposition...

— Dans ce cas... oui, peut-être, dit Jilou. Nous allons réfléchir.

Et elle se dirigea vers la porte. Quel jeu jouait-elle ? Stupéfaite, Sylvie avait l'impression de n'être plus dans le coup. Mlle de Connafieu, en revanche, paraissait ravie.

— Je me permettrai de vous téléphoner d'ici quelques jours, dit-elle.

Jilou proposa de la raccompagner chez elle en voiture. Mais Mlle de Connafieu refusa :

— Non, merci. C'est tout près. Et j'adore marcher !

Sylvie la regarda s'éloigner dans la rue,

petite silhouette grêle, au maintien raide et à la démarche rapide. Fascinée, elle ne voyait plus que cette forme furtive parmi les passants. Enfin elle monta dans la voiture à côté de sa mère qui avait pris le volant et s'écria :

— Je ne te comprends pas, maman ! Pourquoi n'as-tu pas refusé tout de suite ?

— Parce que cet appartement est une merveille ! Tout à fait ce qu'il te faut !

— Mais il est à vendre, Jilou !

— Et alors ? La location d'un studio, c'est de l'argent perdu. Un peu chaque mois, ça finit par faire une somme. Tandis que là tu aurais quelque chose qui t'appartiendrait pour la vie. Un placement !

— Tu te rends compte du prix ?

— Cette Mlle de Connafieu est une personne remarquable. Grâce à elle, nous obtiendrons sans doute une diminution, peut-être même des délais de paiement. Elle a bien dit que le vendeur était prêt à discuter...

— Quand même, où prendrons-nous l'argent ?

— Xavier se débrouillera avec sa banque, dit Jilou en démarrant avec souplesse. Tu auras la somme nécessaire. Et, au moment où se réglera la succession, tout s'arrangera entre nous. Ce sera un peu comme si cet appartement t'était offert par ta grand-mère.

— Que dira Xavier ?

— Il sera ravi de te faire plaisir.

— Comme toujours !

— Mais oui, Sylvie, dit Jilou en effleurant d'un doigt léger la joue de sa fille.

Elle avait réponse à tout. Sylvie était partagée entre la confusion d'avoir tant de chance et l'espoir de se retrouver peut-être, un matin, dans l'appartement de la rue Jacob.

Pendant deux jours, on n'entendit plus parler de Mlle de Connafieu. Malgré les exhortations de Jilou et de Xavier, Sylvie s'abandonnait à la mélancolie. Sans doute un client plus résolu leur avait-il soufflé l'affaire. Comme d'habitude, elle avait eu tort de se réjouir trop tôt. Et puis, un lundi soir, alors que la famille était réunie à table pour le dîner, le téléphone sonna. Jilou décrocha l'appareil et fit signe à Sylvie d'approcher. Bondissant de sa chaise, Sylvie saisit l'écouteur. La voix de Mlle de Connafieu :

— J'ai une bonne nouvelle à vous annoncer. Sur mes instances, le propriétaire consent une diminution de dix pour cent. Mais il est en ce moment dans une mauvaise passe financière et il veut être payé comptant. C'est une occasion à saisir. Qu'en pensez-vous ?

— Je pense que c'est un rabais insuffisant, dit Jilou, imperturbable.

Sylvie eut un grand battement de cœur et fixa sur sa mère un regard suppliant.

— Jusqu'à quel chiffre pourriez-vous aller ? demanda Mlle de Connafieu.

— Cinq millions, c'est le maximum.

Xavier s'était levé à son tour. Il approuvait avec de vigoureux hochements de tête. Après un long silence, Mlle de Connafieu dit :

— Je crois que le propriétaire acceptera. Je reprends contact immédiatement avec lui et je vous rappelle dans le quart d'heure.

Dix minutes plus tard, nouveau coup de téléphone :

— Il est d'accord. Nous pouvons signer la promesse de vente dès demain.

En raccrochant l'appareil, Jilou avait un visage de tranquille victoire.

— Tu es extraordinaire, maman ! s'écria Sylvie en lui sautant au cou.

Elle embrassa aussi Xavier qui lui souriait comme à une enfant émerveillée devant son cadeau d'anniversaire. On se rassit gaiement à table. Après une pareille nouvelle, toute nourriture paraissait fade.

— Je me sens un peu bête à l'idée que tu vas quitter la maison ! murmura Xavier avec un regard d'humble tristesse.

— Tu regrettes ? demanda Jilou, soudain alarmée.

— Pas du tout. Je trouve que c'est très bien. Mais il me semble, égoïstement, que cela va creuser un grand vide dans notre existence.

— Ne t'inquiète pas pour ça ! dit Sylvie en riant. Je suis persuadée que je serai plus souvent chez vous que chez moi !

Puis on se mit à parler avec fièvre d'aménagement, de décoration.

— Heureusement que les meubles du Puy ne sont pas encore vendus, dit Sylvie. Je vais les faire venir tous à Paris. Nous choisirons ceux qui pourront trouver leur place rue Jacob et nous enverrons les autres à la salle Drouot. Tu m'aideras, maman. Tu as de si bonnes idées ! Oh ! je voudrais déjà être à demain pour retourner sur place !

Son excitation était telle que, retirée dans sa chambre, elle ne put se résoudre à dormir. Elle tournait en rond entre ces quatre murs qu'elle avait tant aimés et dont elle avait soudain hâte de s'évader pour affronter une nouvelle vie. Au-dessus de son lit pendait, dans un cadre en baguette noire, un dessin représentant son chien, Zorro, mort de vieillesse l'année dernière. Le croquis qu'en avait fait Olivier était un chef-d'œuvre de ressemblance et d'humour. Les longues oreilles, la truffe impertinente, le regard vif, tout y était. Elle n'avait pas voulu remplacer Zorro, par fidélité. Demain, elle téléphonerait à Olivier pour lui annoncer qu'elle aurait bientôt un chez-soi. Il l'aiderait à décorer son intérieur. L'amour y serait deux fois plus exaltant que partout ailleurs. Et cela grâce à grand-mère ! Quel bizarre enchaînement des causes et des effets ! Au milieu de son agitation, il y eut comme un nuage de nostalgie. Elle se demanda si elle n'allait pas regretter les lieux de son adolescence, la présence tutélaire de ses parents, les douces habitudes de la dépendance et de la sécurité. Non, non, elle devait s'arracher à ce cocon douillet pour affirmer sa vraie nature. Prendre le vent en pleine face. Tailler sa route sans l'aide de personne. Elle fit sa toilette et se coucha, bouleversée de bonheur, impatiente de franchir cette nuit insipide qui la séparait des grands événements à venir. A trois heures du matin, elle ne dormait pas encore. Elle se leva pour boire un verre de lait glacé, à la cuisine. En retrouvant son lit, elle était plus calme. Mais son sommeil fut de courte durée. A l'aube, elle était debout, prête pour le combat.

V

Sylvie donna un dernier coup de pinceau et se recula pour juger de l'effet. Une peinture blanche, lisse, sans grumeaux, sans bavures recouvrait la porte. Un professionnel n'aurait pas fait mieux. Satisfaite, elle s'essuya les mains à un torchon et passa dans la pièce voisine où Olivier, juché sur une échelle double, appliquait une large bande de papier velours vert bouteille sur le mur du fond. Armé d'une brosse souple, il caressait la surface pour effacer le moindre pli, tandis que son copain Nicolas, maquettiste comme lui aux éditions Aster, tendait le lé par le bas. Des planches posées sur des tréteaux supportaient quelques rouleaux de papier, un pot de colle et un transistor d'où s'échappait une musique explosive. On avait abattu une cloison pour réunir deux petites chambres en une seule formant living. La moitié de cette grande pièce était déjà tapissée et les soubassements, les encadrements avaient été peints en blanc. L'ensemble était rigoureux, frais et original. Sylvie baissa un peu le son du transistor et demanda :

— Ça va, vous deux ?

— Au poil ! cria Olivier. Mais je commence à avoir des crampes. Quelle heure est-il ?

— Cinq heures.

— On finit ce coin et je descends.

Les travaux traînaient en longueur. Au départ, il semblait qu'il n'y eût que peu de réparations à envisager. Puis on avait découvert que le chauffage central était insuffisant, l'installation électrique vétuste, avec des baguettes pourries et des fils qui pendaient çà et là, au risque de provoquer un court-circuit. Pour remettre l'appartement en état, Olivier s'était adressé à un jeune ouvrier portugais de sa connaissance, qui savait tout faire et travaillait « au noir » à ses heures libres. Après quoi, Sylvie et Olivier s'étaient chargés eux-mêmes de la décoration. Des amis venaient parfois leur donner un coup de main. Ce samedi après-midi, Thomas et Nicolas les avaient rejoints sur le chantier. Vêtus comme des clochards, ils s'affairaient à des besognes diverses. Sylvie, elle, portait des blue-jeans effilochés du bas et un chandail marron maculé de peinture. Une vieille écharpe de soie, nouée en turban, protégeait ses cheveux.

— Quand est-ce que tu nous augmentes ? demanda Thomas, un géant débonnaire qui, accroupi dans la salle de bains, faisait des raccords de peinture sur une plinthe.

Il s'était coiffé d'un chapeau en papier journal.

— Ça, mon vieux, tu peux toujours courir ! dit Sylvie. Je vous nourris, c'est déjà beaucoup ! Allez, c'est l'heure de l'apéritif ! On arrête !

Olivier dégringola de son échelle et fit quelques flexions des bras pour se dégourdir. Tout en lui était chiffonné, le pantalon, la chemise, les cheveux blonds, le visage. Avec sa bouche élastique et son œil bleu lavande, il avait toujours l'air de flotter entre deux rêves. Sylvie servit le beaujolais traditionnel et des rondelles de saucisson sur des tranches de pain. Elle aimait bien ces deux garçons, Nicolas et Thomas, tellement différents d'Olivier par leur rude équilibre et leur joyeuse simplicité. Auprès d'eux, il était si délicat, si mystérieux, si drôle ! Par moments, elle le comparait à Xavier et s'efforçait de leur découvrir des traits communs dans le caractère : la même bonté, la même naïveté, la même absence d'esprit pratique... Cette idée la réconfortait comme une approbation tacite. Le vin rouge chantait sur sa langue. Elle accepta un second verre. Une musiquette de foire s'échappait à présent du transistor. Nicolas tourna le bouton et un air de twist éclata sous le plafond bas. Il marquait le rythme en claquant des doigts et en balançant sa petite tête de fouine à lunettes d'écaille. C'était Olivier qui ouvrait les bouteilles. Un bouchon, mal attaqué, cassa dans le goulot.

— Tu t'y prends comme un manche ! gronda Nicolas. Laisse-moi faire !

La porte d'entrée était restée ouverte. Jilou se glissa dans la pièce. Elle était déjà venue souvent avec Xavier.

— Tu es seule ? demanda Sylvie.

— Oui. Je suis furieuse ! Au moment de partir, Xavier a eu une urgence !

Sylvie cacha sa déception derrière un sourire.

— Eh bien, tu vois, c'est la pause, dit-elle.

Jilou connaissait tout le monde. On fit cercle autour d'elle. Olivier lui servit un verre de vin. Elle grignota un peu de saucisson en retroussant les lèvres. Il semblait à Sylvie que, comme d'habitude, les garçons regardaient sa mère avec une admiration béate. Ils en oubliaient de parler.

— Que de changements depuis la dernière fois ! dit Jilou. Vous avez travaillé comme des anges !

Elle déambulait, le verre à la main, à travers les pièces, et toute l'équipe la suivait.

— Tu tiens toujours à mettre une moquette rouge bordeaux dans le living ? demanda-t-elle à Sylvie.

— Oui, pourquoi ?

— Tout à coup ça m'inquiète. J'ai peur qu'avec les murs verts et les soubassements blancs, ça ne fasse un peu drapeau italien !

— Ne croyez pas ça, intervint Olivier. Le vert des murs et le rouge de la moquette sont très foncés. J'ai fait des essais. Le résultat est chouette, je vous assure. Regardez.

Il conduisit Jilou vers un coin de la pièce où, sur un escabeau, reposait la maquette en carton de l'appartement, qu'il avait exécutée pour amuser Sylvie. Les proportions, les ouvertures, le ton des murs et du sol, tout était respecté. Il y avait même des meubles en miniature et deux minuscules personnages disposés dans le décor.

— C'est un merveilleux théâtre de poupées ! s'écria Jilou.

— Vous voyez que le vert, le rouge et le blanc, ça ne jure pas ! dit Olivier.

— C'est même très joli, reconnut Jilou.

— N'est-ce pas ? renchérit Sylvie. Tu sais, Olivier est un peu décorateur !

Elle saisit le bras de sa mère, se pressa contre elle et murmura avec une exaltation intransigeante :

— Ça te plaît vraiment ? Dis-le-moi, Jilou ! J'ai tellement besoin que ça te plaise ! Je suis si heureuse !

Jilou l'embrassa et l'assura que tout était réussi au-delà de ses espérances. Elles firent une dernière fois le tour de l'appartement, accompagnées par les trois garçons qui ne quittaient pas Jilou des yeux. Elle portait avec élégance un pantalon beige et un manteau de pluie doublé de fourrure. Sylvie était à la fois fière et agacée du succès de sa mère auprès de ses amis. Son arrivée avait suffi, semblait-il, à gâcher l'atmosphère de franche camaraderie qui animait d'ordinaire les réunions du groupe. Et pourtant il était essentiel, pour Sylvie, que Jilou approuvât tout ce qu'elle entreprenait. Elle ne respirait librement qu'avec la complicité de sa mère. Ce bouillonnement de sentiments contradictoires la rendait parfois maladroite. Elle ne savait plus si elle souhaitait que Jilou restât ou partît. Elle regarda l'heure à sa montre-bracelet. Enfin, comme si elle eût deviné l'irritation passionnée de sa fille, Jilou annonça :

— Il est tard. Il faut que je me sauve. Encore une fois bravo ! C'est magnifique ! A tout à l'heure, ma chérie...

Après le départ de Jilou, Nicolas et Thomas s'éclipsèrent à leur tour. Restée seule avec Olivier, Sylvie se sentit désœuvrée et lasse au milieu du chantier qu'éclairaient des ampoules nues au bout de leur fil. Ce désordre, cette odeur de peinture, cet appareil téléphonique noir éclaboussé de plâtre, avec le combiné posé de guingois sur sa fourche...

— Il me tarde tellement que ce soit fini ! soupira-t-elle. Je crois que maman a beaucoup aimé !

— Oui, dit Olivier. Elle est sensass, ta mère ! Rien ne lui échappe ! Mais, pour la moquette bordeaux, elle a eu tort ! Elle l'a d'ailleurs reconnu...

De nouveau, on parlait de Jilou. Mais déjà Olivier revenait à leur préoccupation principale.

— A mon avis, dans quinze jours le plus gros sera terminé.

— Tu te fais des illusions !

— Mais non ! Au besoin je travaillerai la nuit ! Tu sais bien que rien ne me résiste !

Il se frappa le torse des deux poings pour affirmer sa vigueur et, saisissant Sylvie par la taille, esquissa un pas de danse. Elle lui échappa, à la fois rieuse et agacée. L'insouciance de ce garçon était sans doute son défaut majeur. Mais n'était-ce pas cela aussi qui lui donnait tant de charme ? Soudain il prit une mine de gravité comique, balaya l'air devant lui d'un geste large du bras et déclara :

— Maintenant que vous avez un appartement bien à vous, mademoiselle, vous devenez pour moi un parti tout à fait convenable. J'ai l'honneur de vous demander votre main.

— Vous êtes trop intéressé, monsieur.

— Vous allez vous ennuyer toute seule dans ce palais de soixante-dix pièces !

— Je compte bien que vous m'y rendrez souvent visite.

— Cela ne pourra me suffire.

— Il le faudra pourtant.

Il ne bouffonnait plus, la tête basse, les traits tendus.

— Vraiment tu ne veux pas ? demanda-t-il d'une voix sourde.

— Non, Olivier.

— Tu as tort, tu sais. Nous serions très heureux.

— Moins que maintenant, dit-elle en se blottissant contre sa poitrine.

Un baiser tendre et profond la remua jusqu'au ventre.

— Je t'aime, Olivier, chuchota-t-elle.

Il se détacha d'elle, la regarda avec un air de désespoir joyeux et dit :

— Oh ! merci, Sylvie...

Puis il la reprit dans ses bras. Il l'embrassait dans le cou, dégrafait sa blouse. Et elle se pliait à son désir avec impatience.

— On ne peut pas ici... dit-il enfin. C'est dégueulasse ! Allons chez moi !

Elle le suivit.

VI

Pour clore le défilé, une lourde armoire de style Louis XIV franchit le seuil de l'appartement, portée sur des sangles par trois déménageurs essoufflés et suants. Ils la déposèrent au milieu du living, parmi les autres meubles venant du Puy. Le camion était arrivé à onze heures du matin, alors que Sylvie ne l'attendait qu'à deux heures de l'après-midi. Heureusement, elle était déjà sur les lieux et avait pu surveiller le déchargement. A présent, les trois hommes étaient réunis devant elle, les bras ballants, avec des visages de fatigue. Elle était gênée de la peine qu'ils avaient prise pour monter ces objets si pesants, à pied, au troisième étage. Elle leur offrit un verre de vin, leur donna un large pourboire selon la recommandation de Jilou et signa leur bon de livraison.

— Quand êtes-vous partis du Puy ? demanda-t-elle.

— Hier, tard dans la soirée, répondit le chef d'équipe en s'essuyant la figure avec un mouchoir à carreaux. On a roulé toute la nuit.

Le malaise de Sylvie augmenta. Que de dérangement pour elle seule ! Mais les déménageurs paraissaient contents. Ils la remercièrent avant de se retirer, laissant derrière eux une rude odeur de transpiration.

Quand ils eurent refermé la porte, Sylvie revint dans le living et s'assit, les jambes molles, sur un tabouret. Devant elle se dressait le récif hétéroclite et austère des meubles. Dans ce logis remis à neuf, pimpant de lumière et de couleurs fraîches, avec ses murs vert foncé et sa moquette bordeaux récemment posée, ils apportaient une note lugubre. Sur le point de s'élancer vers une nouvelle vie, Sylvie était reprise par le désenchantement et le deuil. Elle n'était plus à Paris, mais au Puy devant cet amoncellement d'épaves vénérables. Le cœur serré, elle recensait le lit étroit, style Directoire, de grand-mère, son fauteuil en tapisserie, son armoire en noyer, son prie-Dieu... Que voulait-on qu'elle fît de tout cela ? C'était sa faute ! Il aurait fallu tout vendre au Puy et, avec cet argent, acheter ici des meubles sans histoire, des meubles qu'elle aurait choisis elle-même, des meubles qui ne lui rappelleraient rien. Elle décrocha le téléphone et appela Jilou :

— Les meubles sont là, maman.

— Déjà ?

— Oui.

— Quelle chance ! Tu es heureuse !

— Non. C'est affreux !... Ils ne vont pas du tout rue Jacob... Je ne pourrai jamais m'y habituer... Je t'en supplie, viens vite !...

— Attends-moi, j'arrive.

Sylvie raccrocha et se rassit, accablée, sur son tabouret. Garder les meubles serait, pensait-elle, au-dessus de ses forces et s'en séparer serait un déchirement. Quoi qu'elle fît, elle était condamnée à supporter comme un remords les souvenirs du Puy. Absorbée par la contemplation de ce bric-à-brac monumental, elle tressaillit en entendant la sonnerie du téléphone. Sans doute Olivier l'appelait-il du bureau ? Mais non, c'était une voix de femme, usée, tendue. Sylvie la reconnut aussitôt : Mlle de Connafieu. Elle était venue à deux reprises, par simple curiosité, pour voir l'avancement des travaux. Manifestement elle éprouvait une sympathie amusée pour Sylvie. Cette fois, elle l'invitait à prendre le thé chez elle. Décontenancée, Sylvie ne sut que balbutier :

— Aujourd'hui je ne peux pas, mademoiselle.

— Alors voulez-vous demain, à cinq heures ? J'aimerais bavarder un moment avec vous.

Cette proposition dérangeait Sylvie au milieu de son désarroi, mais elle n'osa pas blesser une personne aussi âgée par un refus. A contrecœur, elle remercia, accepta. Puis, furieuse de sa faiblesse, elle continua d'observer les meubles, un à un, comme pour leur demander pardon.

Jilou arriva enfin, et avec elle la lucidité, la décision, la joie. Passant les meubles en revue, elle reconnut que la plupart étaient à éliminer mais s'extasia sur certains d'entre eux :

— Cette armoire est de toute beauté, bien qu'incasable dans ton appartement. Et ce lit Directoire, quelle merveille !

— Oui, mais je n'en veux pas, maman ! s'écria Sylvie. Je préfère un divan bas avec des coussins !

— Bon, bon, je te comprends. En revanche, tu pourrais garder cette bergère Louis XV. Elle ferait très bien dans ta chambre.

— Maman, tu ne comprends pas ! Je ne

veux aucun de ces meubles, aucun, aucun, aucun !

Elle pleurait de dépit, de colère, avec une ondulation douloureuse au creux de la poitrine.

— Ne t'inquiète pas, Sylvie ! dit Jilou. Dans ce cas, c'est très simple : dès demain je convoquerai un commissaire-priseur pour l'estimation. Je pense à Me Philippe Marzona. C'est un ami. Il nous réglera ça en un tour de main.

— J'ai eu tort de faire venir ces meubles à Paris.

— Pas du tout. Ils se vendront certainement mieux à la salle Drouot qu'au Puy. Et comme ça, au moins, tu n'auras pas de regrets !

— Oh ! maman, c'est si triste ! gémit Sylvie.

Jilou l'embrassa, la berça jusqu'au moment où ses larmes se calmèrent. Puis elle décrocha le téléphone et forma un numéro sur le cadran :

— Allô, Xavier ?... Nous sommes en plein déménagement, Sylvie et moi, rue Jacob... La tête à l'envers et des meubles jusqu'au plafond... Je vais déjeuner avec elle dans le quartier... Ne nous attends pas... Ça ne t'ennuie pas trop ?... Oui, je crois que c'est nécessaire...

Quand elle eut raccroché, Sylvie dit :

— A propos, Mlle de Connafieu m'a téléphoné tout à l'heure pour m'inviter, demain, chez elle.

— C'est très gentil de sa part.

— Je t'avouerai que ça ne m'enchante pas d'y aller !

— Mais tu as accepté ?

— Oui.

— Tu as bien fait, Sylvie. D'ailleurs, ça ne m'étonne pas de toi. Et maintenant, je t'emmène. Je meurs de faim !

Elles se restaurèrent d'un croque-monsieur dans un bistrot du coin. La seule présence de Jilou dénouait les nerfs de Sylvie. Maintenant elle n'était pas loin de penser qu'elle s'était fait une montagne d'un simple désagrément. Quand elle retourna rue Jacob avec sa mère, les meubles entassés au centre de la pièce avaient perdu leur aspect misérable de victimes. Ils appartenaient déjà à n'importe qui.

Visiblement, Mlle de Connafieu raffolait des plantes vertes. Son minuscule appartement, réparti sur deux niveaux, était un jardin d'hiver, baignant dans la réverbération glauque des feuillages. Des meubles anciens, tous précieux et de petites dimensions, alternaient avec les philodendrons, les ficus et les kentias en pots. Au luisant des bois cirés répondait le luisant de la végétation luxuriante. On n'entendait pas les bruits de la rue, comme assourdis par l'épaisseur de cette forêt en chambre. De temps à autre, une cloche sonnait au loin. Tout était ordonné, raffiné dans ce logis en miniature. Le thé était servi sur un guéridon de fine marqueterie. Des gâteaux secs reposaient dans une coupe en porcelaine de Sèvres. Depuis le début de sa visite, Sylvie était l'objet d'un interrogatoire affectueux. Mlle de Connafieu voulait tout savoir d'elle : son enfance, à quel métier elle se destinait, ce qu'elle pensait de la jeunesse actuelle. Et la curiosité de cette vieille demoiselle, qui aurait pu irriter Sylvie, ne lui était pas désagréable. Mise en confiance, elle s'abandonnait, buvait son thé à fines gorgées et parlait d'elle-même sans complaisance et sans timidité. Les yeux noirs de Mlle de Connafieu la déshabillaient moralement. Tout était âgé dans ce visage, sauf le regard. Pendant que Sylvie racontait le remariage de sa mère après la mort de son père, son dur apprentissage de la danse, sa déception lorsqu'elle avait dû y renoncer, le téléphone sonna. Sans bouger de sa chaise, Mlle de Connafieu prit

l'appareil en main. Immédiatement une grimace de contrariété tordit les cent petites
rides de sa bouche.

— C'est insensé ! s'écria-t-elle à l'intention de la personne qui était à l'autre bout
du fil. Il vous arrive toujours des contretemps !... Que voulez-vous que je fasse maintenant ?... Je ne peux pas manquer de parole
à ces gens !... Vous auriez dû m'appeler plus
tôt !... Par votre négligence, vous me mettez
dans une situation très embarrassante !...

Elle raccrocha, tout essoufflée par la
colère, et dit :

— C'est ma collaboratrice, Mme Gontrand. On ne peut pas compter sur cette
femme. Elle avait rendez-vous aujourd'hui à
six heures et demie avec les Gallet pour leur
montrer un appartement rue de Varenne, et
voilà qu'elle m'appelle en catastrophe pour
me dire qu'elle est retenue en province,
qu'elle ne pourra pas venir, qu'elle a essayé
de joindre mes clients au téléphone mais
qu'ils étaient déjà partis... Bref, à moi de me
débrouiller... Il faudrait que je sois sur
place dans vingt minutes... Et je ne trouve-
rai sûrement pas de taxi à cette heure-ci...
Je vais y aller à pied... Croyez-vous que c'est
bête !

Et soudain, regardant Sylvie droit dans
les yeux, elle ajouta :

— Mais, au fait, vous savez conduire, vous !

— Oui, mademoiselle.

— J'ai ma voiture en bas. D'habitude, c'est Mme Gontrand qui me sert de chauffeur. Pourriez-vous prendre le volant ?

— Volontiers.

— Ah ! vous me rendez là un fier service ! Vite, où sont mes clefs ?

En aidant Mlle de Connafieu à enfiler son manteau, Sylvie sentit sous ses doigts, à travers le tissu, une ossature fragile. Une fois dans la voiture, une petite Dauphine noire, elle tâtonna avant de trouver les vitesses. Enfin elle démarra un peu trop brutalement.

Un couple d'âge moyen attendait Mlle de Connafieu devant la porte de l'immeuble de la rue de Varenne.

— Venez avec moi, je vais vous présenter, dit Mlle de Connafieu à Sylvie.

— Vous ne préférez pas que je reste dans la voiture pendant que vous faites visiter l'appartement ?

— Surtout pas ! J'ai besoin de votre présence à mes côtés !

Et, devant les Gallet, prenant Sylvie par la main, Mlle de Connafieu annonça :

— Mademoiselle Lesoyeux, ma jeune collaboratrice, monsieur et madame Gallet.

Pendant la visite de l'appartement, très vaste et très délabré, Sylvie se tint à l'écart, par discrétion. Mais elle observait et écoutait Mlle de Connafieu qui guidait ses clients avec une aisance royale, faisait admirer la proportion des pièces, la hauteur des plafonds, la vue des fenêtres sur un jardin intérieur. M. et Mme Gallet paraissaient séduits et se concertaient à voix basse.

— C'est très bien, vraiment très bien, murmura Mme Gallet.

— Si vous êtes intéressés, je prends sur moi de vous consentir une option morale jusqu'à demain soir, dit Mlle de Connafieu.

— Eh bien, d'accord. Nous vous rappellerons demain.

Dans la voiture qui la ramenait chez elle, Mlle de Connafieu se montra toute guillerette :

— Au fond, je suis ravie d'avoir présenté cet appartement moi-même ! dit-elle. Mme Gontrand est bien gentille, mais tellement maladroite ! Elle aurait fait rater l'affaire !

— Vous croyez que les Gallet vont donner suite ? demanda Sylvie.

— Mon nez me dit que oui. Et ils auront raison. Je leur ai proposé là quelque chose de rare. Quelque chose qui n'a pas de prix. Ils le savent. J'ai fait leur connaissance par mon amie Lise de Crémont. En vérité, je n'interviens que par relations. Je n'ai pas de bureau en ville. Mon bureau, c'est mon salon. Et mon

70

outil de travail, le téléphone. Depuis quelque temps, à cause de mon âge, j'ai un peu restreint mon activité. Mais je ne veux pas dételer. Il faut lutter, toujours, toujours...

En disant ces mots, elle se frappait le genou avec obstination d'un doigt sec. Sylvie sourit à cette ivresse de la réussite chez une octogénaire :

— Depuis combien de temps exercez-vous ce métier, mademoiselle ?

— Depuis cinquante-deux ans, mon petit. Au début, je travaillais dans une agence immobilière. Puis je me suis mise à mon compte. Je suis une personne seule, sans grands besoins. Ce n'est donc pas l'appât du gain qui me pousse, mais le désir de m'agiter, de me surpasser.

Sylvie cala son moteur à un feu rouge et eut quelque difficulté à repartir. Mais Mlle de Connafieu ne le remarqua même pas. Elle était tout à son affaire.

— Je vous tiendrai au courant pour les Gallet, si cela vous amuse, dit-elle.

Sylvie trouva le moyen de garer la voiture dans la rue de l'Abbaye et raccompagna Mlle de Connafieu à pied jusqu'à son domicile. Chemin faisant, elles s'arrêtèrent devant la vitrine d'un antiquaire. Mlle de Connafieu admira un bureau plat à caissons et tirette, de style Empire.

— Comment allez-vous meubler votre intérieur ? demanda-t-elle.

— En moderne, dit Sylvie avec une pointe de défi dans la voix.

— C'est de votre âge ! Moi aussi, quand j'étais jeune, j'ai d'abord voulu un mobilier de mon époque. Aujourd'hui, je ne me sens à l'aise que parmi des objets qui ont vécu longtemps avant moi. Ils me parlent. Et ils m'écoutent. Cela ne s'explique pas. Vous verrez...

Sylvie pensa à Jilou lui conseillant de garder certains meubles du Puy. Mais très vite elle balaya cette idée de sa tête. Elle n'allait pas se laisser influencer par des personnes d'une autre génération. Mᵉ Philippe Marzona devait venir demain.

Arrivée devant son immeuble, Mlle de Connafieu remercia encore Sylvie de s'être dérangée et appuya sur le bouton de sonnette. Après le déclic, Sylvie l'aida à pousser le lourd portail d'entrée et la regarda s'engager, menue, droite et le jarret robuste, dans le large escalier de pierre qui desservait les étages.

Sylvie connaissait Mᵉ Philippe Marzona pour l'avoir vu plusieurs fois à dîner, chez ses parents. Il venait généralement à la maison avec Solange Pasquier dont il était un ami d'enfance. Grand, mince, glabre, la bouche sinueuse et la prunelle d'un bleu céruléen, il était toujours vêtu avec une élégance recherchée. La souplesse et la légèreté de ses gestes étaient d'un illusionniste. Il parlait d'une voix profonde et douce en observant son interlocuteur avec intensité. Ce même regard précis, il le posait sur les articles qu'il était chargé d'évaluer. Du premier coup d'œil, il distinguait le vrai du faux, le rare du tout-venant. Devant les meubles de Sylvie, il ne cacha pas que l'ensemble n'avait pas une grande valeur. Jilou écoutait avec déférence les propos de l'oracle. De temps à autre, elle intervenait humblement pour plaider la cause de tel ou tel objet :

— Cette commode pourtant, Philippe, vous ne trouvez pas qu'elle a un certain jus ?...

— Si, ma chère, mais elle date de 1880... Seules les ferrures sont d'époque... La bergère Louis XV, en revanche, est belle... Malheureusement elle n'est pas signée. Les quatre pieds ont été restaurés assez maladroitement.

Il examinait ces choses qui avaient appartenu à grand-mère avec une indiscrétion professionnelle qui choquait Sylvie. Pour chaque article, il donnait une estimation, du bout des lèvres. Et il notait le chiffre sur son carnet.

— Ne vous inquiétez pas, disait-il, je vais grouper tout cela dans une très belle vente que j'aurai dans trois semaines. Nous gonflerons la présentation dans le catalogue. A mon avis, les prix que je vous indique là seront dépassés. Je peux faire procéder à l'enlèvement dès après-demain.

Sylvie était au supplice. Manifestement, Me Philippe Marzona était incapable de concevoir le trésor de sentiments qui s'accrochait à ces épaves. A ses yeux, il s'agissait là d'une marchandise comme les autres. Tout dans la vie était à vendre. « Quel triste métier que le sien ! » pensat-elle. Elle le comparait à un vautour surgissant dans le ciel après les catastrophes. Cet homme-là fondait sa réussite sur les deuils, les divorces, les faillites, la ruine des familles. Il était légalement branché sur le malheur des autres. L'expertise tirait à sa fin.

En une demi-heure, Me Philippe Marzona avait tout vu, tout vérifié, tout jugé, tout tarifié. Quand il fut parti, Jilou dit :

— Il est extraordinaire ! Rien ne lui échappe ! Et, en matière d'art, c'est une véritable encyclopédie ! Visiter un musée avec lui est un enchantement !

— Tu as déjà visité des musées avec lui ?

— Oui.

— Je n'aime pas cet homme, dit Sylvie.

*
* *

Trois jours après l'enlèvement des meubles et alors que Sylvie n'avait pas encore emménagé rue Jacob, elle reçut un coup de téléphone de Mlle de Connafieu lui annonçant qu'une crise de rhumatisme la clouait à la chambre. Or, elle avait rendez-vous à cinq heures, rue de Varenne, avec les Gallet pour une nouvelle visite des lieux :

— Je leur ai dit que vous iriez à ma place.

— Mais je n'ai jamais fait ça... Je ne saurai pas quoi leur raconter, balbutia Sylvie.

— Je suis sûre que si. D'ailleurs, il n'y aura rien à raconter. Ils regarderont une dernière fois et ils arrêteront leur décision.

Subitement tentée par l'aventure, Sylvie céda en riant.

— Oh ! mon petit, comme c'est bien à vous d'accepter ! dit Mlle de Connafieu. Je suis vraiment très souffrante. Vous prendrez les clefs, de ma part, chez la concierge de la rue de Varenne. Elle est prévenue.

En se retrouvant avec M. et Mme Gallet dans l'appartement vide et sonore qu'elle était chargée de leur faire visiter, Sylvie se sentit à la fois incompétente et indispensable. Se rappelant les propos de Mlle de Connafieu, elle parla à son tour de la clarté des pièces et du silence qui y régnait, malgré la proximité d'une rue passante. D'ailleurs, toutes les chambres étaient tournées vers le jardin. Et le salon, le bureau, la salle à manger avaient des doubles fenêtres. La cuisine était évidemment de dimensions modestes, mais il serait facile de l'agrandir en abattant une cloison. De même, on pouvait très bien créer deux salles de bains supplémentaires... D'une phrase à l'autre, Sylvie prenait de l'assurance. Elle s'amusait comme si elle se fût produite sur une scène dans une comédie à succès. Le plus étonnant était que M. et Mme Gallet paraissaient la prendre au sérieux. A la fin de la visite, Mme Gallet dit à Sylvie :

— Nous passerons voir Mlle de Connafieu dès demain matin pour arrêter l'affaire. Prévenez-la. Je lui téléphonerai de mon côté.

Sylvie exultait : elle venait d'être reçue à un examen. De la rue de Varenne, elle se précipita chez Mlle de Connafieu. Elle avait hâte de lui annoncer la bonne nouvelle. Mais Mlle de Connafieu était déjà au courant par un coup de téléphone de Mme Gallet. Elle rayonnait, rigide dans son fauteuil, parmi les plantes vertes.

— Savez-vous ce qu'elle m'a dit ? s'écria-t-elle. « On ne peut résister à votre charmante collaboratrice. » Demain ils vont sûrement essayer de discuter les conditions. Mais ce sera un combat d'arrière-garde. Nous enlèverons l'affaire. Grâce à vous !

Et elle ajouta en plantant son regard de jais dans les yeux de Sylvie :

— Si cette vente se fait, comme je le crois, nous partagerons ma commission.

Sylvie voulut protester. Mais Mlle de Connafieu lui cloua le bec :

— C'est comme ça, mon petit. Et il n'est pas exclu, si vous le voulez bien, que j'aie encore recours à vous dans l'avenir. Vous cherchiez un métier ? En voilà un tout trouvé !

Sylvie toucha une partie de la commission sur la vente de l'appartement aux époux Gallet. D'autres commissions suivirent. Mlle de Connafieu lui apprenait le métier en l'emmenant dans ses visites. Parfois même elle lui confiait le soin de piloter seule des clients de peu d'importance. Elle s'était séparée de Mme Gontrand et faisait toute confiance à sa nouvelle collaboratrice. Sylvie n'en revenait pas de gagner sa vie en exerçant une activité qui l'amusait. Grâce au petit capital qu'elle allait recevoir bientôt sur la succession, elle pourrait se passer tout à fait de l'aide de ses parents. Elle le leur annonça en grande pompe au cours d'un dîner à la maison. Jilou la considérait avec une tendre ironie. Xavier lui dit :

— Je suis fier de toi !

Et ces paroles la traversèrent de part en part tel un rayon de lumière. Elle rougit de plaisir, cacha son émotion en buvant un verre de vin, s'étrangla, et tous trois éclatèrent de rire. Comme on était bien en famille !

VII

En arrivant le matin, à onze heures et demie, dans l'appartement de ses parents, Sylvie retrouva avec un amusement attendri l'atmosphère habituelle de la maison : Jilou était sortie, Xavier recevait un malade dans son cabinet, et la machine à écrire de Mme Bourgeois cliquetait par intermittence. Il n'y avait pas trois semaines que Sylvie s'était installée définitivement rue Jacob et il lui semblait qu'une vie entière s'était écoulée depuis. Elle n'avait d'ailleurs pas fini d'arranger son intérieur et venait chercher quelques objets qu'elle avait négligé de prendre lors du déménagement : une lampe de chevet, le dessin représentant Zorro, deux ou trois robes anciennes mais encore « mettables »... Elle emporterait tout cela dans un sac après le déjeuner qu'on prendrait en famille.

Joséphine, qui lui avait ouvert la porte, lui souffla à l'oreille que Mercedes avait préparé une paella, le plat préféré de son enfance. Laissant la domestique dans l'entrée, Sylvie se rendit droit dans sa chambre. Curieusement, le lit était fait comme si quelqu'un devait y coucher ce soir ; ouvrant le placard, elle y trouva, pendus sur des cintres à côté de ses robes, plusieurs costumes de Xavier. Dans le cabinet de toilette, sur la tablette au-dessus du lavabo, il y avait un rasoir, un tube de crème à raser, un blaireau... Étonnée, Sylvie appela Joséphine et demanda :

— Pourquoi mon père a-t-il transporté ses affaires dans mon ancienne chambre ?

— Je ne sais pas, Mademoiselle, dit Joséphine. Il couche là maintenant. Je lui fais sa couverture tous les soirs.

— Depuis quand ?

— Depuis que vous êtes partie...

Dominant sa curiosité, Sylvie ne posa pas d'autres questions à Joséphine et se dirigea résolument vers la chambre de sa mère. Là, tout était comme autrefois, le grand lit, les rideaux épais, le parfum familier, un bouquet de fleurs dans un vase en cristal, les flacons et les petits pots de produits de beauté sur la coiffeuse. Se pouvait-il que le départ de Sylvie eût bouleversé à ce point la vie du couple ? Elle allait se retirer lorsque sa mère arriva, le teint animé, les yeux brillants, l'allure libre dans un tailleur cannelle gansé de cuir marron.

— Tu es déjà là, ma chérie ! s'écria Jilou en embrassant sa fille. Tu as vu Xavier ?

— Non. Mais je suis passée dans ma chambre. Xavier y couche, maintenant ?

— Oui.

— Pourquoi, maman ?

— C'est plus confortable pour nous deux, dit Jilou en dénouant son écharpe. Il a un sommeil très agité. Il me réveille en bougeant. Comme tu n'habites plus là, nous avons pensé que ce serait mieux pour nous deux s'il s'installait dans ta chambre.

Sylvie était confondue par la désinvolture avec laquelle sa mère parlait d'un événement aussi grave. Était-ce, chez Jilou, de l'inconscience, de l'égoïsme ou une sorte de jeu dont les règles échappaient à sa fille ?

— En somme, vous préférez ne plus dormir ensemble ? dit Sylvie avec bravade.

— Tu sais, au bout de quelques années... soupira Jilou.

— Non, je ne sais pas, maman.

— Ne t'inquiète donc pas, ma chérie. Tout va bien. Et toi, où en es-tu avec Mlle de Connafieu ?

A demi calmée, Sylvie parla de ses brillants progrès dans l'immobilier. Elle voyait

Mlle de Connafieu chaque jour, apprenait à mieux la connaître au hasard des rendez-vous, et était subjuguée par son charme vieillot et sa fragile autorité.

— Comme je suis contente pour toi! dit Jilou. C'est une activité qui demande beaucoup de tact et de persévérance. Une activité féminine. Tout à fait dans tes cordes. Je suis sûre que tu arriveras!

Quand le dernier patient eut quitté le cabinet de consultation, on passa à table. Malgré la paella de Mercedes, le déjeuner fut sans joie. Xavier avait un visage de tristesse, de résignation et de lassitude. Il toucha à peine à la nourriture et ne prit qu'une part distraite à la conversation. Jilou, en revanche, parlait avec un entrain factice. Dès la fin du repas, Xavier retourna dans son cabinet. On avait sonné à la porte d'entrée. Le premier malade attendait déjà. Jilou se leva et regagna sa chambre. Sylvie la suivit.

— Maman, demanda-t-elle brusquement, que se passe-t-il entre toi et Xavier?

— Rien de grave, dit Jilou d'un ton fluide. Nous nous sommes un peu disputés.

— Pour quoi?

— Pour des bêtises. Ce sont des accrocs qui arrivent dans un ménage.

— Il a l'air désespéré!

— Mais non. Il est fatigué, voilà tout. Il travaille trop.

— Je suis sûre qu'il y a autre chose. Dis-moi, maman !

Jilou secoua la tête comme pour se débarrasser d'un voile importun :

— Que veux-tu que je te dise ? Tu m'agaces avec tes questions. Tu as ta vie, nous avons la nôtre...

— Non, maman, je n'ai pas de vie en dehors de vous deux. J'ai besoin de savoir. C'est parce que j'ai quitté la maison que ça ne va plus entre vous ?

— Absolument pas !

— Alors quoi ?

— Je te répète que tout cela est absurde. Demain, il n'y paraîtra plus. Va à ton rendez-vous et sois tranquille.

Sylvie regarda sa montre. Elle devait passer prendre Mlle de Connafieu chez elle dans trois quarts d'heure et elle voulait encore rapporter quelques objets personnels rue Jacob. Aurait-elle le temps de tout faire ? Heureusement, Mlle de Connafieu lui avait prêté sa voiture pour la journée. Sylvie scruta sa mère d'un regard suppliant. Jilou souriait, paisible, claire, impénétrable.

— Je vais partir, dit Sylvie. Mais je viendrai dîner, ce soir.

— Ne viens pas, ma chérie, dit Jilou. Ce soir, je ne serai pas là.

— Et Xavier ?

— Quoi, Xavier ?

— Il sera là, lui ?

— Oui.

— Sans toi ?

— Évidemment.

— Que fais-tu donc de si important, ce soir ?

— Je sors avec des amis.

— Quels amis ?

— Cela ne te regarde pas, Sylvie.

Les yeux de Jilou avaient pris soudain un éclat d'une dureté minérale. Sylvie lui tourna le dos sans répliquer et réintégra sa chambre pour enfourner dans un sac les vêtements, la lampe, le dessin qu'elle voulait emporter.

Elle arriva cinq minutes en retard à son rendez-vous, après avoir fait un crochet pour passer par la rue Jacob. Mlle de Conna-fieu l'attendait sur le trottoir, devant le portail de la maison. Mais elle n'était pas autrement fâchée. Indéniablement, sa nouvelle collaboratrice bénéficiait de toute l'indulgence qu'elle avait refusée à la précédente. Elles montèrent ensemble dans la Dauphine pour courir, de client en client, à travers la ville. Tout au long de l'après-midi, Sylvie vécut dans une sorte de tumulte inté- rieur. Incapable de s'intéresser aux lieux qu'elle visitait, ni aux gens qui lui adressaient la parole, elle ressassait les propos étranges de Jilou. A mesure que l'heure avançait, elle sentait croître son impatience de retourner chez ses parents.

Il était neuf heures du soir lorsqu'elle se retrouva enfin devant la porte de leur appartement. Elle avait la clef. En entrant, elle se heurta à Joséphine, qui la renseigna à voix basse : le dernier patient était parti. Puis la secrétaire. Puis Madame. Monsieur s'était fait servir une assiette de viande froide dans son bureau.

— J'allais partir moi-même, dit Joséphine. Vous n'avez besoin de rien ?

— Non, non, allez, murmura Sylvie.

Et, marchant sur la pointe des pieds, elle s'approcha du cabinet de consultation. Silence total. Elle entrebâilla la porte. Par l'interstice, elle vit Xavier, assis devant sa table dans la lumière crue d'une lampe à l'abat-jour vert. Son visage, penché sur quelque publication scientifique, était celui d'un vaincu. Savait-il seulement ce qu'il lisait ? Autour de cet îlot de clarté, la pièce s'enfonçait dans la pénombre. Il tourna une page, cocha une phrase au crayon. Sylvie fit un pas. Il leva la tête et sourit faiblement :

— Qu'est-ce que tu fais là ?

— Je venais te voir.

— C'est gentil. Mais, tu sais, Jilou est sortie...

— Justement.

— Quant à moi, eh bien, voilà, je travaille... Tout bouge... Il faut se tenir au courant, jour après jour... C'est d'ailleurs passionnant !...

Pressentant qu'il allait esquiver la difficulté d'un aveu, elle attaqua de front :

— Je te sens préoccupé, Xavier. Tu parles à peine. Tu dors dans ma chambre. J'ai questionné Jilou. Elle m'a carrément envoyée promener. Vous vous êtes disputés ?

Xavier baissa la tête sans répondre.

— Vous ne vous disputiez jamais quand j'étais là, reprit-elle.

— Oh ! si... Mais tu ne l'as jamais su...

— En tout cas, ce n'était pas aussi sérieux que maintenant !

— Peut-être pas, en effet.

Sylvie se mit à genoux devant lui qui restait assis. Le menton levé, elle le regardait avec une interrogation douloureuse. Une main hésitante descendit sur sa tête et lui effleura les cheveux. Cette simple caresse la ramenait à son enfance.

— Comme ça me fait plaisir que tu sois venue ! dit-il. Je vous aime tant, toutes les deux !

— Tu es malheureux ?

— Très malheureux !

Il marqua une pause et dit soudain d'une voix atone :

— Jilou veut me quitter.

Comme si elle avait reçu un coup sur la nuque, Sylvie resta un instant stupide, muette, puis elle murmura :

— Te quitter ? Mais pourquoi ?

Il fronça les sourcils et soupira :

— Parce qu'elle ne m'aime plus. Et elle n'a pas tort. Mon métier est destructeur pour un couple. Je suis entièrement pris par mes malades. Jilou est trop seule. Nous n'avons plus de vie commune. Et puis, j'ai des défauts...

— Toi, des défauts ? s'écria-t-elle. Tu es merveilleux ! Tu es... Tu es...

Les larmes l'étouffaient. Elle détestait sa mère. De quel droit Jilou gâchait-elle leur vie à tous les trois ? De nouveau la main de Xavier s'appesantissait, douce et tremblante, sur ses cheveux.

— Je ne veux pas qu'on te fasse du mal ! reprit-elle en haletant. Et surtout pas Jilou ! Tu la gâtes trop, tu l'aimes trop !... Où est-elle ?

— Je ne sais pas.

— Tu imagines peut-être, tu dramatises...

— Non, Sylvie....

— Je vais l'attendre. Et, quand elle rentrera, je lui parlerai.

Xavier lui prit les deux mains, les porta à ses lèvres et dit :

— Comme tu es impulsive, Sylvie, ma Viou ! Calme-toi. Ne l'attends pas. Elle ne rentrera pas, ce soir.

— Comment ça ? Où couchera-t-elle, alors ?

— Ailleurs... Cela ne nous concerne pas.

Et soudain, masquant son visage derrière ses dix doigts, Xavier gémit :

— Elle en aime un autre, Sylvie. Je suis anéanti !

Il pleurait en silence. Elle l'entoura de ses deux bras et couvrit de baisers ses joues râpeuses en balbutiant :

— Xavier... Xavier... Il ne faut pas... Elle n'en vaut pas la peine... Qui est... qui est cet homme ?

Il se dégagea de son étreinte. Les verres de ses lunettes étaient embués. Il les essuya avec un coin de son mouchoir.

— Peu importe, dit-il. Les faits sont là. A présent, je te demande de me laisser.

— Tu ne veux pas que je reste coucher ici ?

— Non. J'ai besoin d'être seul. Rentre chez toi. Dans ton univers. Tu l'as si joliment arrangé !

— Mais qu'allez-vous devenir, toi et Jilou ?

— Rien de bien original. Je fais confiance à Jilou. Elle trouvera une solution. Va, maintenant. Merci d'être venue.

Il s'était levé et la poussait vers la porte. Elle sortit, la révolte au cœur et les jambes faibles.

VIII

A peine revenue chez elle, après une journée passée avec Mlle de Connafieu à essayer de convaincre des clients coriaces, Sylvie s'était mise farouchement à faire son ménage. Cette activité mécanique calmait ses nerfs et déliait sa pensée. Poussant l'aspirateur sur une moquette neuve qui n'avait nul besoin d'être dépoussiérée, elle libérait avec rage son trop-plein d'énergie. L'appareil, d'un modèle ancien, avait échoué entre ses mains après avoir fait son temps dans l'intérieur de ses parents. Elle rêva à cette merveilleuse soirée, quinze jours plus tôt, lorsque Jilou et Xavier étaient venus dîner pour la première fois dans son appartement. Comme elle était heureuse alors, entre eux deux, dans son nouveau décor! Comme ils paraissaient heureux, eux aussi! Jouaient-ils déjà la comédie ? Oui, sans doute. Il devait y avoir longtemps que Jilou trompait son mari. Même lorsque Sylvie habitait avec eux avenue Victor-Hugo, il était probable que le ménage flanchait. Elle aurait dû s'en rendre compte plus tôt. Les fréquentes sorties de Jilou, ses nombreux rendez-vous avec des amis... Mais Sylvie avait une telle confiance en sa mère ! Devant cette femme rayonnant d'assurance et de grâce, elle avait la candeur aveugle de Xavier. Jilou les avait bafoués l'un et l'autre. Elle avait la tricherie dans le sang. D'ailleurs, si elle avait eu le sens de la fidélité, elle ne se fût pas remariée si vite après son deuil. L'aspirateur, immobilisé, ronflait aux pieds de Sylvie. Elle l'arrêta. Il était sept heures du soir. Toutes les lampes étaient allumées. Elle rangea l'appareil dans le placard à balais. L'appartement, autour d'elle, lui parut dérisoire dans sa perfection. A quoi bon ce cadre, conçu avec tant de joie, puisque tout était pourri dans sa vie par la faute de Jilou ? N'était-ce pas pour avoir plus de liberté que Jilou avait poussé à l'achat du studio de la rue Jacob ? En écartant Sylvie de la maison, elle éloignait un témoin perspicace. Oui, oui, elle avait manigancé le départ de sa fille pour se donner les coudées franches. Ce que Sylvie avait pris pour un élan de générosité moderne et de confiance chaleureuse n'était, en réalité, que le résultat d'un calcul. Le plus étonnant était que Jilou vécût une telle aventure à son âge. C'était bon pour les jeunes de s'exalter et de se déchirer par amour. Passé quarante ans, il ne vous arrivait plus rien. On était à l'abri des surprises du cœur. Mais Jilou était assurément une créature exceptionnelle. Tout le monde le disait : Xavier, Olivier, les copains, Mlle de Connafieu... Un leitmotiv avait poursuivi Sylvie au long de son existence : « Votre mère est si charmante !... Votre mère est si adorable !... » Une femme de cette qualité ne pouvait appartenir à un seul homme. Jilou était victime de sa beauté. Elle était née pour séduire et torturer. Une malédiction à visage d'ange. Tout en la condamnant avec fureur, Sylvie ne pouvait s'empêcher de se sentir liée à elle par la chaleur du sang. Mais Xavier aussi était proche d'elle. Comme un vrai père. Quoi qu'il advînt, elle ne le laisserait pas détruire. Un homme de sa valeur, de son intégrité, de sa bonté naïve méritait qu'on l'entourât de tendresse au lieu de le tourmenter. Son métier le mettait au-dessus du commun des mortels. Comment Jilou ne l'avait-elle pas compris ? Une jouisseuse, une garce !... Ces injures, que Sylvie jetait à la tête de sa mère, la blessaient elle-même. Elle ne l'avait pas revue depuis

leur conversation capitale, deux jours auparavant. Et elle n'avait pas envie de la revoir.
Elles s'étaient tout dit en quelques minutes.
Non, non, il fallait une nouvelle rencontre,
de nouvelles explications... Elle téléphona à
Xavier et tomba sur Mme Bourgeois, la secrétaire, qui lui passa « Monsieur le Professeur »,
justement libre entre deux rendez-vous.

— Maman est revenue ? demanda-t-elle.

— Non, dit Xavier.

— Tu ne sais rien d'elle ?

— Si. Elle me téléphone chaque jour.

— Pour te dire quoi ?

— Pour me raisonner.

— Connais-tu au moins son adresse ?

— Elle ne me l'a pas donnée.

— Et son téléphone ?

— Non plus.

— C'est insensé, Xavier !... Il faut exiger...

— Je préfère attendre.

— Quoi ?

— Elle se ravisera peut-être... Elle reviendra...

Il en était là ! Elle le plaignit pour cet
abaissement, pour cette illusion minable.

— Et toi, t'a-t-elle téléphoné ? demanda-
t-il enfin.

— Non.

— Cela ne m'étonne pas. Devant toi, elle
a honte... Veux-tu que je lui dise de t'appeler ?

— Surtout pas ! Je lui raccrocherais au nez !

— Tu la juges sévèrement.

— Oui, Xavier.

— Moi, je n'y arrive pas ! marmonna-t-il. Sylvie le sentait si proche qu'elle avait l'impression de baigner dans sa tiédeur.

— Que fais-tu, ce soir ? dit-elle encore. Tu ne veux pas passer me voir ?

— Non. J'ai une masse de travail en retard. Je m'enfermerai dans mon cabinet et je bosserai aussi longtemps que je ne tomberai pas de sommeil. Et toi ? Tu vas sortir ?

— Je n'en ai pas envie. Je suis si bien chez moi !

— Tu as raison, mon petit. Je t'imagine, je te vois dans ta nouvelle existence... Cela me console de pas mal de choses. Bonsoir, Sylvie.

— Bonsoir, Xavier.

A peine eut-elle raccroché que le téléphone sonna : Olivier.

— Je t'appelle depuis une heure déjà, dit-il. C'était tout le temps occupé. Je peux venir ?

Entièrement plongée dans le drame de Xavier, elle hésitait à renouer avec sa propre vie. Tout ce qui n'était pas la trahison de Jilou lui paraissait soudain accessoire. Était-elle encore capable d'amour après un tel coup ? Olivier insistait :

— Ça fait trois jours qu'on ne s'est pas

vus. Je n'en peux plus, Sylvie. J'ai envie de passer la nuit avec toi. Si tu me dis non, je me jette par la fenêtre !

Touchée par son intonation à la fois implorante et comique, elle accepta. Après tout, il allait peut-être la délivrer de son obsession, la rendre à elle-même. Elle ne lui dirait rien de la rupture entre Jilou et Xavier. Mais pourrait-elle faire l'amour alors qu'un tel secret pèserait sur sa poitrine ? Elle ouvrit son réfrigérateur, prépara vite, avec des restes, un petit dîner froid qu'ils prendraient sur la table basse du living et guetta par la fenêtre l'arrivée d'Olivier. Un quart d'heure plus tard, elle le vit ranger son scooter dans la cour. Dès cet instant, elle sut, aux battements accélérés de son cœur, qu'elle avait eu raison de le laisser venir.

D'emblée, il enlaça Sylvie, chercha sa bouche comme un affamé. Prise dans un tourbillon, elle comprit, avec bonheur, qu'elle existait en dehors de sa mère. Il l'entraîna dans la chambre, la déshabilla et se déshabilla dans un silence tendre, presque méchant. Malgré sa hâte, il la caressa longuement, délicatement, attentif à porter leur désir à l'unisson avant de pénétrer en elle.

Couchée sous lui, elle subissait le mouvement cadencé de son corps avec un mélange de remords et de jubilation. Leur première étreinte la laissa insatisfaite. Mais quand, après un temps de repos alangui, il la reprit dans ses bras, elle s'abandonna, la tête folle, à la vague déferlante du plaisir. Ils se rhabillèrent sommairement, mirent un disque sur l'électrophone et s'assirent côte à côte sur le divan, face à leurs assiettes. Ni l'un ni l'autre n'avaient faim. Une mollesse douce et rêveuse les habitait. Sylvie dévisageait Olivier avec la volonté de se dire qu'elle était différente de sa mère, qu'elle du moins savait aimer, se dévouer, être fidèle... Et Olivier était à cent lieues de se douter de la direction que prenaient ses pensées. Innocent, inconscient, bercé par la musique, il lui pétrissait la main en murmurant :

— Ce qu'on est bien, ici, tous les deux !

Elle se leva et, subitement égayée, lui déposa un baiser sur le bout du nez.

— Tu as des instincts de pacha ! dit-elle. Je t'aime !

Au même instant, un coup de sonnette la fit sursauter. Ils se regardèrent. Inquiète, Sylvie alla à la porte et l'ouvrit prudemment. Devant elle, se tenait Xavier, un pauvre sourire aux lèvres. L'étonnement la paralysa pendant une seconde. Puis elle prit Xavier par le bras et le fit entrer. Olivier se mit debout, confus, ébouriffé, tendit une main molle. Xavier semblait aussi embarrassé que lui. Sylvie les considérait l'un et l'autre et ne savait quelle contenance prendre.

— Je te dérange, dit Xavier.

— Pas du tout. Olivier est monté en passant...

— J'aurais dû te prévenir.

— Mais non, pourquoi ? Tu as dîné ?

— Oui, oui... Après, j'ai essayé de travailler, mais j'avais la tête à l'envers. Alors j'ai pensé à toi. Et voilà. Je vais vous laisser...

— Non, reste, dit-elle avec une tendre autorité. Assieds-toi. On va prendre un verre.

Il s'assit. Il avait l'air d'un mendiant honteux. Et c'était cet homme-là que des internes déférents suivaient de lit en lit, à l'hôpital.

IX

Tout habillée et prête à sortir, Sylvie s'avisa qu'elle ne s'était pas lavé les dents après son petit déjeuner. Elle se précipita dans la salle de bains. Il fallait qu'elle se dépêchât si elle voulait arriver à l'heure rue de Furstenberg. En vérité, même quand elle était en avance, elle trouvait Mlle de Connafieu qui l'attendait sur le trottoir, devant sa maison. C'était, entre elles, une sorte de jeu de l'exactitude. Penchée sur le lavabo, elle maniait la brosse à dents avec vigueur, les lèvres retroussées, le regard planté dans la glace. Pendant qu'elle se rinçait la bouche, le téléphone sonna. Elle se tamponna les lèvres avec une serviette-éponge et bondit dans le living pour répondre. Au bout du fil, la voix de Jilou :

— Je te réveille ?

— Pas du tout, dit Sylvie en dominant sa surprise. Mais je suis très en retard. J'allais partir.

— Je peux passer te voir en fin de matinée ?

— Non, maman, dit Sylvie d'une petite voix plate.

Et elle raccrocha l'appareil avec un tremblement d'angoisse dans la poitrine. Le souffle lui manquait. Elle mit une seconde à se ressaisir, la main appuyée sur le combiné qu'elle avait reposé sur sa fourche, puis elle enfila son manteau et sortit en trombe. A peine avait-elle descendu trois marches que la sonnerie du téléphone retentit de nouveau. D'abord elle songea à remonter : ce pouvait être Xavier ou Mlle de Connafieu... Non, non, il s'agissait sûrement encore de Jilou. Or, toute conversation entre elles était inutile. Bravement, Sylvie continua à dévaler l'escalier, tandis que, là-haut, la sonnerie régulière, insistante, grelottait derrière la porte. Elle ne regrettait rien. En rabrouant sa mère, elle avait obéi à un réflexe de droiture aveugle, d'honnêteté cruelle. Pour se convaincre d'avoir eu raison, il lui suffisait de se rappeler Xavier venant chez elle, avant-hier, avec son doux visage de défaite. Jilou ne pouvait invoquer aucune circonstance atténuante. « Je dois apprendre à me passer d'elle, à vivre comme si elle n'avait jamais existé ! » se répétait Sylvie avec une fureur déchirante. Elle arrivait au rez-de-chaussée lorsque la sonnerie se tut. Jilou avait disparu dans une trappe. Soulagée et meurtrie tout ensemble, Sylvie frissonna au froid de la rue.

Ce fut dans un état de demi-inconscience qu'elle se rendit chez Mlle de Connafieu. Celle-ci l'attendait, comme toujours, devant la porte de son immeuble. Elles avaient toutes deux un emploi du temps très chargé. Pilotant la voiture, Sylvie conduisit Mlle de Connafieu à trois rendez-vous. Le bavardage de cette vieille petite personne, fragile, fripée, têtue et courageuse, la distrayait un peu de son désarroi. Pourtant, à la fin de la matinée, Mlle de Connafieu donna des signes de fatigue. Elle respirait difficilement et se tamponnait les lèvres avec un mouchoir plié en quatre. Sylvie l'observait avec inquiétude. A deux heures, Mlle de Connafieu la fit monter chez elle pour déjeuner sur le pouce. Elle avait concocté la veille d'étranges petits plats à base de gruau de sarrasin et de grains de maïs qu'il suffisait de faire réchauffer. Après ce repas d'oiseau, elle dicta quelques lettres à Sylvie qui les tapa, tant bien que mal, à la machine. Puis elle se prépara à repartir, malgré son extrême lassitude : elle voulait visiter un appartement à vendre qu'un confrère lui avait signalé dans le quartier du parc Monceau. Sylvie insista pour y aller seule :

— Reposez-vous. Je me débrouillerai très bien par moi-même, je vous assure. Je vous ferai un compte rendu détaillé. Et, si cela vaut la peine, nous y retournerons ensemble.

Mlle de Connafieu finit par céder.

— Gardez la voiture pour ce soir, lui dit-elle, et revenez me prendre demain matin à la même heure. Que ferais-je sans vous, mon petit ?

Cette marque de confiance revigora Sylvie. Elle aimait rouler dans Paris. Une fois de plus, elle se surprit à penser qu'elle conduisait de la même façon que Jilou, avec souplesse, insolence et sûreté. Mais, contrairement à sa mère, elle ne mettait jamais de gants en voiture. « Mettre des gants, c'est démodé ! » décida-t-elle en s'arrêtant à un feu rouge. Tenir le volant renforçait en elle le sentiment de son indépendance, de sa maturité. A présent, elle se targuait d'avoir le coup d'œil juste pour les appartements. Celui que lui présenta le confrère la déçut : il était hideux, bruyant, malcommode et surévalué. Elle promit néanmoins de s'en occuper. Le confrère lui signala encore trois affaires dont il avait l'exclusivité, mais qui pouvaient intéresser Mlle de Connafieu : dans ce cas, on partageait la commission entre agences. Sylvie se rendit sur les lieux et nota tous les détails dans son carnet.

A cinq heures, elle remonta en voiture pour rentrer chez elle. Elle venait de traverser le pont de la Concorde et d'aborder le boulevard Saint-Germain lorsqu'elle se trouva prise dans un embouteillage. Un fleuve de coques de tôle agglutinées stagnait à perte de vue entre les façades des maisons. Le feu de croisement passa du rouge au vert et la file ne bougea pas. Exaspérée, Sylvie jeta un regard alentour et aperçut, sur le trottoir, un chien fou qui courait en tous sens et se heurtait aux passants. Un cocker. Comme Zorro. Mais plus petit que lui, avec un pelage fauve, lustré, et de longues oreilles ballantes. Sûrement il était perdu. Le flot des véhicules démarra lentement. Sylvie manœuvra pour se ranger sur sa droite. Quelques coups de klaxon l'insultèrent. Sourde aux protestations des automobilistes, elle sortit de voiture et se précipita sur les traces du chien. Par trois fois, il lui échappa. Les gens la regardaient avec une surprise rieuse, sans songer à l'aider dans sa poursuite. Enfin elle saisit le chien par le cou et l'immobilisa. Il avait un vieux collier tout usé et pas de médaille permettant de l'identifier. Apeuré, il se débattait, haletait et levait sur Sylvie un regard suppliant. Elle remarqua qu'une tache laiteuse voilait son œil gauche. N'était-ce pas une cataracte ? Il était jeune ; il était affectueux ; il était chaud ; il cherchait son maître... Accroupie et tenant toujours le chien dans ses bras, elle interrogea quelques passants. Personne ne put la renseigner. Le maître était introuvable. Peut-être avait-il voulu se débarrasser de ce chien à demi aveugle ? Oui, oui, c'était sûrement ça. Une bête superbe ! Que faire d'elle ! Le monde entier était indifférent. Si la police ramassait ce chien, il finirait à la fourrière. Avec un œil malade, il n'avait aucune chance d'adoption. C'était la mort certaine après quelques jours de captivité sinistre dans une cage. Sylvie ne pouvait tolérer cette idée. L'animal avait cessé de remuer par soubresauts dans ses bras. Il acceptait sa protection, sa tendresse. Elle l'examina de plus près et s'aperçut qu'il ne s'agissait pas d'un chien mais d'une chienne. Une joie très douce l'envahit tandis que le petit cocker lui léchait le menton. Téléphoner à la Société protectrice des animaux ? Oui, à tout hasard. Et si, malgré tant d'efforts, on ne retrouvait pas le propriétaire ? Eh bien, il serait toujours temps d'aviser... Résolument elle se dirigea vers sa voiture, en tenant la chienne serrée contre sa poitrine. Comme elle était maigre ! Tout en poils et en nerfs, avec un squelette léger et des oreilles de soie floche. Elle l'installa sur la banquette arrière, la gronda pour qu'elle restât tranquille et, suivant le courant de la circulation, démarra en douceur.

Après s'être garée rue Jacob (il y avait une place, par miracle, juste devant chez elle !), elle dénoua sa ceinture et en fixa une extrémité au collier de la chienne. La tenant en laisse, elle se dirigea vers le porche. Mais la chienne s'arc-boutait, soudain terrorisée. Elle voulait rester dans le mouvement de la ville. Sylvie dut la tirer à travers la cour et dans l'escalier. Elle lui parlait tout en grimpant les marches :

— De quoi as-tu peur, idiote ? Tu dois avoir faim. Et soif peut-être. Comment t'appelles-tu ? En voilà une histoire !

Au bout d'un moment, le petit cocker, rassuré, frétilla de la queue. Quand Sylvie ouvrit la porte de son appartement, la chienne flaira le paillasson, puis se précipita à l'intérieur, le museau au sol, sur la piste d'un lièvre imaginaire. Sylvie courut derrière elle et s'immobilisa, médusée, au milieu du living. Jilou était assise là, le visage calme, le regard limpide.

— Comment es-tu entrée ? balbutia Sylvie.

— Tu sais bien que j'ai la clef depuis le début des travaux.

La chienne s'était jetée sur Jilou qui, souriant à cette gaieté absurde, lui caressait l'échine, lui tripotait les oreilles.

— Qu'est-ce que c'est que ce chien ? demanda-t-elle.

— C'est une chienne. Une chienne perdue. Je viens de la ramasser.

— Quelle tristesse ! Pauvre bête ! Tu as vu son œil ?

— Oui, dit Sylvie. Il faut que je lui donne à boire, à manger...

Elle passa dans la cuisine, le cocker sur ses talons. Jilou la suivit. Sans s'occuper de sa mère, Sylvie tendit un bol plein d'eau à la chienne qui se rua dessus, puis, prenant un bifteck qu'elle avait gardé pour elle-même, le coupa en menus morceaux, ajouta des bouts de pain, humecta le tout au robinet. Elle retrouvait avec émotion ses gestes du temps de Zorro. Ayant bu à grands coups de langue, la chienne enfouit son museau dans la gamelle. Ses oreilles traînaient à terre pendant qu'elle happait la nourriture. Tout en mangeant avec voracité, elle déplaçait le plat par petites secousses en zigzag, sur le carrelage. C'était comique ! En huit claquements de mâchoires, tout fut avalé.

— Elle a encore faim, dit Jilou.

Sylvie émietta une tranche de jambon et des biscottes dans la gamelle. La chienne n'en fit qu'une bouchée. Après quoi, assise sur son derrière, la gueule ouverte, la langue et les oreilles également pendantes, elle regarda les deux femmes avec gratitude et interrogation.

— Elle est absolument adorable, cette bête ! reprit Jilou. Que vas-tu en faire ?

— Je ne sais pas encore, dit Sylvie. La garder peut-être. Comme Zorro...

Et soudain, un râle lui laboura la gorge :

— Oh ! maman, maman !...

Brisée par des sanglots qui venaient de son enfance, elle s'abattit dans les bras de sa mère. Des deux poings elle lui frappait mollement la poitrine, comme pour la réveiller. Incapable de trouver ses mots, elle la suppliait en silence, les yeux pleins de larmes, de redevenir elle-même. Jilou lui prit les mains de force, les noua autour de ses épaules et murmura :

— Assez, Sylvie... Écoute-moi... Je vais t'expliquer...

— Ah ! non, rugit Sylvie. Surtout pas !... C'est trop horrible !... Notre Xavier !... Comment as-tu pu ?... Il t'aime, lui !... Et tu es en train de le démolir !... Je ne veux plus te voir !...

— Tu le pourrais, Sylvie ? demanda Jilou.
Elle défiait sa fille avec un regard de noblesse douloureuse, de tendre égarement. Et elle était si belle, dans sa pâleur offensée, que Sylvie ne savait plus si elle avait envie de couvrir ce visage de baisers ou de le déchirer avec ses ongles. Comme toujours devant sa mère, elle était prise par le ventre. Elle devait vaincre sa chair pour la détester. D'une main légère, elle effleura les joues de Jilou, tout en chuchotant avec une fureur contenue :

— Tu es une garce, maman !... Tu ne construis que pour détruire !... Tu ne penses qu'à toi dans la vie !... C'est monstrueux !... Monstrueux !...

La chienne les observait l'une et l'autre avec inquiétude, comme si elle se sentait responsable de cette dispute entre humains. Sylvie s'arrêta de caresser le visage de sa mère et se baissa vers le cocker dont elle toucha délicatement le front chaud, les oreilles souples. Ce contact vivant lui procurait le même plaisir sensuel que l'approche rayonnante de Jilou. Toutes deux avaient sur elle un mystérieux pouvoir animal.

Rassasiée, comblée d'attentions, la chienne quitta la cuisine pour aller fureter dans le reste de l'appartement. Visiblement, tout l'intriguait. Sylvie la suivit. Jilou fit de

106

même. Elles se retrouvèrent face à face dans le living, et le petit cocker reprit à leurs pieds sa pose vigilante, arrière-train au sol, pattes de devant raides et museau levé. Il y eut un silence entre les deux femmes. Le trop-plein de leurs sentiments les rendait muettes. Enfin Jilou murmura :

— Avant de me condamner, il faut que tu saches certaines choses...

— Je ne veux rien savoir, maman ! s'exclama Sylvie. Si tu parles, tu vas mentir ! Comme à Xavier !

Sur le point de répliquer, Jilou avisa un tee-shirt blanc, pendu sur le dossier d'une chaise : Olivier l'avait oublié en se rhabillant, la nuit dernière.

— Et ça, qu'est-ce que c'est ? demanda-t-elle en soulevant le tee-shirt entre deux doigts.

— Laisse, maman, dit Sylvie d'un ton sec.

— Je pense que toi et Olivier vous dormez ensemble !

— Ça ne te regarde pas !

— Puisque vous dormez ensemble, c'est que tu l'aimes.

— Oui, s'écria Sylvie, mais moi, maman, je ne trompe personne !

— Moi non plus, Sylvie. Xavier est au courant de tout. Et depuis le début.

— Ça ne l'empêche pas de souffrir ! Par ta

faute, maman !... Tu n'avais pas le droit !...
A cause de moi !... J'existe tout de même !...
Xavier est mon père !... Et quel père !... Que
va-t-il devenir ? Il t'aime ! Il t'aime à en per-
dre la raison ! Comme papa t'a aimée ! Seule
la mort devrait vous séparer. Et voilà... tu
as tout gâché, tout sali !

— Que tu es jeune, Sylvie ! soupira Jilou.

Tout à coup, la question que Sylvie s'était
toujours refusée à poser jaillit de ses lèvres :

— Pour qui l'as-tu quitté ? Je le connais ?

— Oui.

Une illumination frappa Sylvie. Mille
soupçons se concentraient soudain en une
seule évidence. La poitrine oppressée, elle
murmura :

— J'en étais sûre !... Ce doit être... Oui...
Philippe Marzona, le commissaire-priseur...

Jilou acquiesça de la tête :

— Oui, Sylvie... Philippe Marzona est
quelqu'un de remarquable...

— Il n'est pas le seul ! Tu ne vas pas
t'amouracher de tous les hommes remar-
quables de la terre !

— Tu le juges mal.

— Ce n'est pas lui que je juge. C'est toi,
maman. Comment peux-tu, à ton âge ?... Tu
es vieille maintenant !...

— Je suis vieille par rapport à toi...

— Non. Tu es vieille par rapport à tout ce

que tu as vécu ! Et tu veux continuer à vivre d'un homme à l'autre, comme quand tu avais vingt ans ! C'est lamentable ! C'est... c'est ignoble !...

Ébranlée par les coups de sa fille, Jilou n'était plus qu'une femme blessée, insultée, sans force pour se défendre. Le visage décomposé, le regard dilué de larmes, elle gémit :

— Tu es dure, Sylvie. Un jour tu comprendras...

— Jamais ! J'appartiens à Xavier maintenant ! Plus à toi ! Pardon, maman ! Je te fais mal ! Mais c'est plus fort que moi ! Tout est dit entre nous ! Je te demande, je te supplie de t'en aller ! Va-t'en !

Jilou fit encore un pas en avant pour embrasser sa fille. Mais Sylvie recula avec horreur et dit entre ses dents :

— Ne me touche pas !

Jilou ferma les paupières comme pour s'isoler dans sa douleur, les rouvrit, sourit misérablement et se dirigea vers la porte. Lorsqu'elle eut disparu, Sylvie courut se jeter dans l'entrée et colla son front au battant. La tête gonflée de larmes, elle écoutait le pas de sa mère résonner, de plus en plus assourdi, de plus en plus lointain, sur les marches de bois. Quand elle ne l'entendit plus, elle retourna dans le living et se posta à la fenêtre. Jilou traversait la cour lentement, à petits pas, à cause des pavés irréguliers. Elle portait des souliers à talons hauts. Elle se tenait droite. Comme elle était menue, vulnérable, perdue dans ce grand espace de grisaille !... Ivre de chagrin, Sylvie se retenait pour ne pas courir derrière elle. Bientôt, elle la vit sortir de la cour, sortir de sa vie. C'était fini. Sylvie se détourna de la fenêtre. Des sanglots convulsifs lui déchiraient la poitrine. La pénombre avait envahi la pièce. Elle alluma les lampes. Aplatie par terre, le museau entre les pattes, la chienne l'observait de son seul œil valide, tout de douceur et d'incompréhension.

X

Il y avait bien vingt minutes que Mlle de Connafieu était chez le notaire avec ses clients pour la signature d'une promesse de vente. Sylvie l'attendait en bas, dans la voiture, avec sa chienne. Elle ·l'avait baptisée Clémence et celle-ci s'était très vite habituée à son nouveau nom. Éperdument attachée à sa maîtresse, elle grognait dès que quelqu'un s'approchait de la portière de l'auto. Sylvie la grondait en riant quand elle retroussait les babines dans une grimace hargneuse. Et Clémence, aussitôt calmée, prenait un air fautif et tendait la patte pour se faire pardonner. Malgré les mines de sa chienne, Sylvie commençait à trouver le temps long. Elle ouvrit son sac à main et en tira deux pages couvertes d'une écriture penchée. C'était la troisième lettre que Jilou lui adressait depuis leur conversation orageuse. Sylvie n'avait pas répondu aux deux premières. Elle ne répondrait pas non plus à celle-ci, qu'elle avait reçue le matin même. Des phrases de raison, de tendresse... En les relisant, elle entendait la voix de sa mère et son cœur défaillait de chagrin et de rancune. Jilou se trouvait à Val-d'Isère. Avec Philippe Marzona sans doute. Son drame ne l'empêchait pas de dévaler les pistes à skis. De quelle chair était-elle donc faite pour pouvoir s'amuser entre deux crises de larmes ? Quand elle repensait à son passé familial, Sylvie découvrait cent détails qui auraient dû l'alerter. Était-il possible que Xavier ne se fût douté de rien pendant des mois ? Il était tellement pris par ses malades qu'il en oubliait de vivre. Jilou était une sale hypocrite et lui un faible, un rêveur. Philippe Marzona avait eu beau jeu devant ce couple fragile. Dire que c'était cet homme qui avait dispersé les meubles de grand-mère ! Comment Jilou avait-elle pu pousser l'inconscience ou le cynisme jusqu'à charger son amant d'une affaire aussi délicate ? Sylvie en était rétrospectivement révoltée. Elle n'avait pas assisté à la vente. Mais elle avait touché l'argent. Un chèque signé Marzona. Quelle horreur ! De quelque côté qu'elle se tournât, elle se heurtait à une Jilou toute de dissimulation, de tricherie.

112

Elle replia la lettre et se jura de ne plus la relire. Peut-être même eût-elle dû la déchirer. Avec toutes les autres lettres de sa mère, avec toutes ses photos... Le visage tout en longueur de Mlle de Connafieu apparut derrière la vitre de la voiture. Clémence aboya, mais sans colère. Elle avait d'emblée adopté la vieille demoiselle. Sylvie ouvrit la portière et Mlle de Connafieu monta à côté d'elle.

— Voilà, c'est fait, dit-elle d'un ton sémillant. Tout est signé ! Nous avons gagné, mon petit !

Et, avisant la lettre que Sylvie tenait encore à la main, elle la menaça du doigt en un geste de malice désuète :

— Un billet doux de votre soupirant ?

— Non. De ma mère, dit Sylvie en glissant la lettre dans son sac à main.

— Comment va-t-elle ?

— Très bien.

— Elle est si charmante !

— Oui.

— J'aimerais la revoir un jour.

— Elle est aux sports d'hiver, dit Sylvie d'un ton net.

Et elle démarra brusquement. Personne ne devait savoir que ses parents étaient séparés. Pas même Olivier. Elle cachait son malheur comme une maladie honteuse.

— Où allons-nous maintenant ? demanda-t-elle.

— Ramenez-moi à la maison, mon petit. J'ai fini ma journée.

Ayant reconduit Mlle de Connafieu chez elle, Sylvie ne sut plus à quoi employer son temps. Comme d'habitude, elle avait gardé la voiture. Son instinct la poussait vers l'avenue Victor-Hugo. A sept heures du soir, elle débarqua dans l'appartement de ses parents. Elle avait un besoin irrépressible de voir Xavier. Il recevait un malade dans son cabinet. Joséphine avait le visage décomposé. Que lui avait-il dit pour expliquer l'absence de Madame ? Toute la maison était comme engourdie. Précédée de Clémence qui trottait, le nez à ras de terre, Sylvie passa dans la chambre de Jilou. Un sanctuaire glacé, avec un grand lit où personne ne couchait plus, des fauteuils inutiles, une coiffeuse trop bien rangée. Les placards étaient aux trois quarts vides. Jilou avait emporté la plupart de ses robes. Il y avait encore deux patients dans le salon. En attendant leur départ, Sylvie se rendit dans le bureau de Mme Bourgeois pour bavarder avec elle. La secrétaire lui confia que le professeur se fatiguait beaucoup, qu'elle était inquiète pour sa santé : le matin l'hôpital, l'après-midi les consultations et le soir, jusqu'à une heure avancée de la nuit — elle en était sûre —, des travaux personnels, la correspondance, la rédaction d'articles scientifiques. « Il faudrait qu'il se ménage un peu plus. Dites-le-lui. En tout cas, il est temps que votre mère revienne. Tout va de travers depuis qu'elle n'est plus là ! » Manifestement, Mme Bourgeois cherchait à en savoir davantage sur l'absence de Jilou. Sylvie se garda bien de la renseigner. Devant son mutisme, la secrétaire, vexée, se remit à taper sur sa machine à écrire.

Lorsque la voie fut enfin libre, Sylvie fit irruption dans le cabinet de Xavier, avec Clémence qui gambadait autour d'elle. Depuis trois jours qu'elle ne l'avait vu, il lui parut, en effet, marqué par une lassitude suspecte. Sa joie en la recevant fut celle d'un convalescent. Elle ne l'avait pas prévenu de sa visite.

— Ça, c'est gentil ! s'écria-t-il en l'embrassant. Justement j'allais te téléphoner !

Elle lui montra la dernière lettre de Jilou : il la lut attentivement, assis derrière son bureau, hocha la tête et murmura :

— Elle souffre, elle aussi.

— Elle souffre, mais elle ne renonce pas.

— Pourquoi renoncerait-elle ? Elle est amoureuse.

— Ce Philippe Marzona est un salaud !

— Mais non, Sylvie, dit-il tranquillement.

C'est un homme très bien. D'ailleurs Jilou n'aurait pas pu s'intéresser à quelqu'un de médiocre. Et puis, elle a besoin de plaire, de séduire... C'est inné chez elle... J'ai toujours su que Philippe Marzona était attiré par ta mère... J'avoue même que cela flattait un peu ma vanité... J'aimais que ma femme brillât dans le monde, qu'elle reçût l'hommage des autres... C'est absurde, mais c'est ainsi... Seulement je ne supposais pas qu'elle me quitterait pour lui...

— Ma parole, tu t'accuses !... Tu aurais dû lutter !...

— Je ne sais pas lutter, Sylvie... Ou plutôt si : je lutte dans mon métier, pour mes malades, mais pas dans la vie courante, pas pour moi-même...

— Essaie encore, Xavier...

— Il est trop tard.

— C'est insensé ! Alors quoi, elle vit avec ce type maintenant, avec ce mondain, ce vendeur de meubles à l'encan ?...

— Oui.

— Pourtant elle avait tout auprès de toi !

— Je le croyais.

— Vous allez divorcer ?

— Jilou le voudrait.

— Et toi ?

— Je ne peux pas dire non.

— Si tu refuses, elle réfléchira, et, avec le temps, elle reviendra peut-être...

— Par pitié ?

— Par amour. Elle t'aime.

— Est-ce qu'on peut aimer un homme comme moi ?

— Tais-toi, Xavier ! s'écria Sylvie. Tu es quelqu'un d'extraordinaire ! N'importe quelle femme serait heureuse de partager ta vie ! Jilou n'est rien en comparaison de toi : une plume au vent, une bulle de savon...

— C'est joli, une bulle de savon ! dit Xavier avec un sourire enfantin.

Sylvie avait l'impression de tirer sur la rive un noyé trop lourd pour elle. Quoi qu'elle fît, il demeurait enlisé dans son infortune, avec délectation. Assise devant lui dans le bureau, elle était à la fois agacée et charmée par sa faiblesse, par son abandon. La pensée de ce sauvetage l'exaltait. Jamais elle ne s'était sentie aussi nécessaire.

— Et toi ? dit-il soudain avec une fausse vaillance. Parle-moi de ton métier. Cette vieille demoiselle doit être parfois pénible à supporter !

— Pas du tout. Elle est la finesse et l'endurance mêmes. Elle m'apporte beaucoup. Et puis, grâce à elle, je gagne ma vie.

— Et Olivier ? C'est sérieux ?

— Non. Pas trop...

— Tu vas l'épouser ?

La même question que Jilou lui avait posée naguère.

— Je n'en ai pas du tout l'intention, répondit-elle.

— Pourquoi ?

— On n'épouse pas un nuage.

— Tu as raison. Il ne faut pas te presser. Tu es si bien, si droite... si... si jolie !...

Il plongeait son regard dans les yeux de Sylvie avec une force et une tendresse qui la troublaient.

— Je suis moins jolie que maman, dit-elle.

— Peut-être. Mais, quand on t'a vue une fois, on ne t'oublie pas. Ton âme rayonne dans tes yeux. Tu dois ressembler à ton père. Jilou est belle. Toi, tu as de la personnalité. C'est plus rare ! J'aimerais tellement que tu sois heureuse !

— Mais je le suis, balbutia-t-elle.

— Non. Tu es une écorchée vive. Tu ressens tout plus violemment que le commun des mortels. Une autre fille n'aurait pas attaché autant d'importance à ce qui se passe entre Jilou et moi. Toi, tu en es malade ! Tu souffres pour toi, pour moi, pour elle ! Ma Sylvie, ma Viou, pense un peu plus à toi et un peu moins à nous. Sois égoïste.

Elle ne répondit pas, la gorge nouée, les yeux humides.

— Au fait, reprit-il, j'ai reçu une lettre de Pascal. C'est un événement : lui qui n'écrit jamais ! Il est enchanté de sa vie à New York. Il pense venir bientôt à Paris pour quelques jours. Cela te fera plaisir de le revoir ?

— Bien sûr, dit Sylvie.

Au vrai, il y avait longtemps que le souvenir de Pascal s'était endormi dans sa mémoire. Elle se rappelait à peine qu'elle l'avait aimé au point d'être désespérée de son départ pour les États-Unis. Aujourd'hui, elle était plutôt ennuyée qu'il resurgît, à contretemps, dans son existence. Joséphine frappa à la porte : le dîner était servi.

Sylvie se rendit à la cuisine pour faire manger Clémence. Bien entendu, Mercedes avait préparé une pâtée trop copieuse. A chaque visite, c'était le même festin. La chienne, ravie, goinfrait.

— La prochaine fois, vous lui en donnerez moitié moins, dit Sylvie à Mercedes. Je ne veux pas qu'elle devienne un boudin !

A table, Xavier parla surtout de l'inquiétude que lui inspiraient les récents événements d'Algérie : la guerre interminable, le putsch des généraux, les barricades à Alger, la division des esprits en France, tout cela lui paraissait lourd de menaces pour la cohésion du pays. De Gaulle serait-il de taille à apaiser ce bouillonnement de passions partisanes ?

Sylvie l'écoutait avec étonnement. Comment Xavier pouvait-il s'intéresser à ces questions de haute politique alors que sa tragédie personnelle aurait dû exclure toute autre préoccupation de son cerveau ? Fallait-il être un homme pour prendre goût à des spéculations de ce genre au plus fort d'une déception amoureuse qui vous retournait les tripes ? Assise sur une chaise à côté de sa maîtresse, Clémence mendiait un supplément de nourriture. Elle était si drôle que Sylvie céda. Trois bouts de viande disparurent ainsi, saisis au vol par une gueule qui s'ouvrait et se refermait d'un coup sec.

— Tu l'élèves mal ! dit Xavier. Mais, à ta place, j'en ferais autant ! Jilou l'a vue ?

— Oui.

— Qu'en dit-elle ?

— Elle l'aime beaucoup.

Tout les ramenait à Jilou. Ils restèrent un long moment silencieux, visités par le même souvenir, par la même présence. Le visage de Xavier s'était contracté comme sous l'effet d'une douleur physique. Sylvie lui prit la main sur la table.

— Je n'ai plus que toi au monde, dit-il soudain d'une voix étouffée.

Joséphine entra pour changer les assiettes.

XI

Penché sur la valise, Sylvie y rangeait avec dextérité trois chemises de Xavier, trois slips, un costume, une paire de chaussures, des chaussettes roulées en tapon. D'habitude, quand il se rendait à un congrès, c'était Jilou qui lui préparait ses bagages. Aujourd'hui, Sylvie prenait mélancoliquement la relève. Il lui tendit deux cravates qu'il avait décrochées au hasard dans la penderie.

— Tu ne vas pas prendre ces cravates sport pour aller avec ton complet habillé ! s'écria-t-elle.

Et, se dirigeant vers le placard, elle fit son choix avec autorité :

— Celle-ci et celle-ci !

Il la regardait agir, docile, attendri et reconnaissant. Son avion pour Madrid s'envolait dans deux heures. Il avait juste le temps de se précipiter à Orly.

— Je crois que je n'ai rien oublié, dit Sylvie en rabattant le couvercle de la valise. Téléphone-moi quand tu auras un moment.

Il promit et bougonna :

— Si tu savais comme ça m'assomme d'aller là-bas !

— Moi, je trouve que c'est une excellente diversion. Il faut que tu te changes les idées.

— Et toi, tu dois dîner avec Pascal, tout à l'heure ?

— Oui.

— J'espère qu'il sera moins ennuyeux qu'avant-hier, à la maison !

Elle sourit en se rappelant cette soirée décevante où, assise à table entre Xavier et Pascal, elle s'était demandé comment elle avait pu aimer un garçon aussi bavard, borné et infatué de ses mérites. Il ne parlait que de lui et semblait avoir oublié son passé en France. L'idée ne l'effleurait même pas que les autres pussent avoir, eux aussi, des espoirs, des soucis, des projets, une existence qui méritait l'attention.

— Il faut que je file, dit Xavier en empoignant sa valise.

Sylvie l'accompagna jusqu'à la station de taxis qui était toute proche, l'embrassa, le regarda monter en voiture et, quand il fut parti, resta un moment debout au bord du trottoir, désorientée et songeuse. Tout à coup elle se dit que le temps lui paraîtrait interminable jusqu'au retour de Xavier. Puis elle se secoua en pensant au dîner de ce soir avec Pascal. Elle avait demandé à Olivier de se joindre à eux. Après tout, les deux garçons étaient amis de longue date. On était convenus de se retrouver chez Lipp, à neuf heures. Auparavant, elle devait passer rue Jacob pour changer de robe et prendre sa chienne. Pour une fois, elle ne l'avait pas emmenée dans ses courses. Il fallait que Clémence s'habituât à rester, de temps en temps, seule à la maison.

En arrivant sur le palier de son appartement, elle entendit un appel plaintif. Postée dans le vestibule, la chienne avait flairé son approche. Quand elle ouvrit la porte, une boule de poils roux lui sauta dans les bras avec des gémissements d'allégresse. Clémence ne se calma qu'après avoir eu son content de paroles tendres, de caresses et une pâtée de viande et de riz exceptionnellement savoureuse.

Elles se présentèrent ensemble au restaurant. Les deux hommes étaient déjà là et discutaient devant des demis de bière. Sylvie s'assit sur la banquette à côté d'Olivier, tandis que Pascal s'installait en face d'elle et que Clémence, repue, apaisée, se couchait sous la table entre leurs jambes. Pendant le repas — choucroute pour tout le monde —, Sylvie ne cessa d'observer Pascal avec lucidité. Physiquement, il n'avait pas changé : les mêmes oreilles écartées, la même bouche large d'orateur, le même regard émerillonné. Mais ces traits, qui l'avaient charmée jadis, la laissaient froide aujourd'hui. Et elle ne pouvait supporter la faconde, l'assurance de son vis-à-vis. Comme lors du dîner avec son père, il se déboutonnait à plaisir. Pour la seconde fois, elle l'entendit raconter qu'il avait abandonné ses études de médecine pour entrer dans un important laboratoire de produits pharmaceutiques dont sa mère connaissait le « grand patron », qu'il y était devenu très vite indispensable, qu'il gravissait les échelons quatre à quatre, qu'il gagnait tant de dollars par mois, qu'il espérait en gagner encore plus à la fin de l'année. Devant cette autosatisfaction, elle se demanda s'il se rappelait qu'ils avaient fait autrefois l'amour ensemble. Six ans déjà ! Enfin il cessa d'évoquer sa réussite pour s'intéresser à Sylvie. Quand il s'adressait à elle, il disait : « Ma petite sœur ! » C'était ridicule ! En tout cas, il avait vite compris qu'elle était à présent la maîtresse d'Olivier. Et cette situation paraissait l'amuser beaucoup.

— Ça va, vous deux ? demanda-t-il. A quand le mariage ?

Olivier se troubla et Sylvie coupa court en disant :

— Nous sommes très heureux comme ça. Et toi, Pascal ? Tu es amoureux ?

Aussitôt Pascal se lança dans l'éloge des femmes américaines et tira de son porte-feuille la photographie d'une fille blonde, tenant un cheval par la bride.

— N'est-ce pas qu'elle est chouette ? C'est la fille du plus grand *broker* de New York. J'ai un ticket avec elle. Et même plus qu'un ticket !

Sylvie le complimenta sur son choix et fit un effort pour rester dans la conversation. Elle regrettait d'avoir combiné ce dîner avec les deux garçons. Chacun dans son genre, ils lui paraissaient superficiels et même puérils par comparaison avec Xavier. Auprès d'eux, elle avait l'impression d'être une femme d'expérience parmi des gamins. Elle se dit soudain qu'elle eût aimé accompagner Xavier à ce congrès de gastro-entérologie, le voir prendre la parole devant ses confrères, entendre les commentaires, les applaudissements. A son retour, quand elle lui demanderait comment s'était déroulé son séjour à Madrid, il lui répondrait : « Très bien. » Et ce serait tout. Il était si discret, si modeste ! Tout le contraire de son fils. Elle s'aperçut que, depuis un moment, elle n'entendait plus ce que disaient Olivier et Pascal. Le brouhaha de la salle l'étourdissait. Les visages des dîneurs se confondaient dans une brume lumineuse. Elle décrochait.

— Tu ne finis pas ta choucroute ? demanda Pascal.

— Non, dit-elle, je n'ai plus faim.

Les deux amis se partagèrent la charcuterie qu'elle avait laissée dans son assiette et recommandèrent de la bière.

— C'est bête que Jilou ne soit pas à Paris, dit Pascal. J'aurais bien voulu la voir. J'avais une sorte de béguin pour elle autrefois !

— Tu n'es pas le seul, dit Sylvie.

— Où est-elle, en ce moment ?

— Qu'est-ce que ça peut te faire ?

— Avant-hier, papa a dit qu'elle était en voyage. Mais sans autre précision. Tout ça est bien mystérieux !

Un sursaut de rancune ébranla Sylvie. Après des semaines de silence mensonger, elle ne pouvait plus se taire. Sa raison lui échappait.

— Elle n'est pas en voyage, dit-elle d'une voix entrecoupée. Elle a quitté Xavier. Elle vit avec un autre homme. Elle veut divorcer.

Cet aveu la stupéfia elle-même. Il y eut un long temps mort.

Abasourdi, Pascal balbutia :

— Sans blague ! En voilà une histoire !

— Pourquoi ne m'en as-tu rien dit, Sylvie ? demanda Olivier avec une douceur inquiète.

— Je ne voulais pas que ça se sache avant... avant que la chose ne soit sûre, murmura-t-elle.

— Et la chose est sûre maintenant ?

— Tout à fait. Les avocats s'en occupent. Il y a déjà une ordonnance de domicile séparé.

— Ça ne signifie rien ! dit Pascal. Je connais mon père. Il fera tout pour que ça s'arrange... Et avec qui Jilou s'est-elle envolée ?

— Ça ne te regarde pas ! s'exclama Sylvie, un éclair de rage dans les yeux.

Devant ces deux garçons incompréhensifs, elle avait envie à la fois d'accabler Jilou et de la défendre. Comment leur expliquer que, tout en condamnant sa mère, elle éprouvait, par tous les pores de sa peau, le besoin de la revoir, de la toucher, de la respirer ? Olivier lui entoura les épaules de son bras et dit, contre son oreille :

— Ma Sylvie, je te sens si malheureuse ! Je ne peux pas supporter de te voir souffrir !

Elle fut touchée de ce geste maladroit, de ces paroles simples. Il y avait en lui une bonté naïve, une sensibilité toujours en éveil qui le distinguaient des autres garçons de son âge. Quelle différence avec ce benêt prétentieux de Pascal !

— Mais oui, ma petite sœur ! dit Pascal. N'y pense plus ! Ce n'est pas ton problème ! Laisse les parents se débrouiller entre eux !

Le maître d'hôtel s'approcha, la carte à la main. Sans se concerter, ils renoncèrent au dessert et commandèrent trois cafés. Délivrée de son secret, Sylvie respirait plus à l'aise. Mais elle était affaiblie comme après une longue marche contre le vent. Olivier lui prit la main, la porta à ses lèvres et dit :

— Tu veux qu'on rentre ?

— Oui, répondit-elle.

Pascal exigea de payer l'addition. Dans la rue, il héla un taxi et annonça qu'il allait finir la nuit dans une boîte.

Olivier enlaça Sylvie et ils se dirigèrent, collés l'un contre l'autre, par la rue Saint-Benoît, vers la rue Jacob.

— Il est marrant, Pascal, dit Olivier. L'Amérique lui réussit !

— Tu trouves ?

— Oui. Pas toi ?

— Franchement non. J'avais hâte de le voir partir !

128

Clémence trottait devant eux. Sur le palier du troisième étage, ils s'embrassèrent, bouches écrasées, souffles confondus. Tout à coup Sylvie eut envie de se retrouver dans le lit, sous ce corps nu et agile qui connaissait si bien les secrets de son propre corps. Comme elle ouvrait la porte de l'appartement, le téléphone sonna. On l'appelait de l'hôtel Plaza, à Madrid. La standardiste parlait le français avec un fort accent espagnol. Le cœur battant à coups précipités, Sylvie couvrit avec sa main le microphone du combiné et chuchota à l'intention d'Olivier, qui la regardait :

— C'est Xavier !

Xavier ne lui dit presque rien : voyage sans histoire, rencontre avec quelques confrères éminents dans le hall de l'hôtel... Les choses importantes allaient commencer demain. Et elle ? Ce dîner ?

— C'était charmant, dit-elle.

— Je ne pensais pas que tu rentrerais si tôt. Je téléphonais à tout hasard...

En raccrochant, elle était radieuse. Olivier la prit dans ses bras. Ils passèrent dans la chambre. Folle de gaieté, la chienne bondit sur le lit et les nargua en frétillant de son bout de queue.

— Ah ! non, ma fille, lui dit Olivier. Ce n'est pas le moment. Tu vas aller dans ton lit, à toi !

Avec un air de victime, Clémence se laissa couler à terre et rampa jusqu'à sa corbeille où elle se coucha, punie, vexée, la truffe entre les pattes. Sylvie se déshabilla rapidement et rejoignit Olivier entre les draps. Elle était impatiente, assoiffée. Ils firent l'amour avec frénésie. La chienne les observait, sage, immobile, l'œil rond. Olivier ne quitta Sylvie qu'au petit matin.

XII

De temps à autre, Xavier, revenu de Madrid, téléphonait à Sylvie pour l'inviter à passer le voir, en fin de journée. Ils dînaient ensemble à la maison. Pendant ces repas en tête à tête, il parlait de son travail, de ses lectures, et elle l'écoutait avec le sentiment de l'aider, par sa seule présence, à sortir du marasme où l'avait plongé le départ de Jilou. Avec Olivier elle avait son âge, avec Xavier elle était une femme d'expérience, capable de comprendre et de conseiller. Au cours de leurs conversations, il était souvent question de l'insaisissable Jilou. Sylvie supportait plus mal encore le silence, l'absence de sa mère depuis que celle-ci était rentrée des sports d'hiver. Quinze jours déjà que Xavier était sans nouvelles ! Il s'inquiétait : n'était-elle pas malade ? Sylvie le raisonnait avec agacement : « Mais non, elle est prise par sa nouvelle existence, voilà tout ! » Or, elle n'en était nullement convaincue elle-même. Par trois fois, elle s'arrangea pour passer lentement, en voiture, devant l'immeuble de l'avenue Montaigne où habitait Philippe Marzona. Qu'espérait-elle ? Voir sortir Jilou, l'aborder dans la rue, l'interroger ?... Absurde ! Il eût été si simple de lui téléphoner ! Mais Sylvie se refusait à le faire. Par colère, par orgueil. Jusqu'à quand durerait cette sale souffrance ?

Un jour, Xavier l'invita au théâtre. Elle accepta avec enthousiasme. On souperait après le spectacle. Elle se prépara à cette fête avec autant de fébrilité que si la réussite de la soirée eût dépendu de l'élégance de sa robe et de la perfection de son maquillage.

La comédie, bavarde et boulevardière, les déçut. En quittant le théâtre, ils échouèrent au sous-sol d'un restaurant discret, confortable et feutré. Un couple parmi d'autres. Elle était fière qu'il sortît avec elle comme avec une vraie femme. Sans doute était-il déjà venu ici avec Jilou. Sylvie avait envie d'huîtres. Lui aussi. Ils en commandèrent deux douzaines. Et, pour la suite, des coquilles Saint-Jacques à la nage. Elle se sentit brusquement jolie. Tout l'amusait, les gens, le décor, Xavier. Auprès de lui, elle avait l'impression tout à la fois d'être protégée, enrichie et enveloppée d'une virile intelligence. Autant elle appréciait le charme ébouriffé d'Olivier, autant elle éprouvait le besoin moral d'être réchauffée par l'affection et l'estime de Xavier. Il avait pris un air renseigné pour examiner la carte des vins. Puis, ayant passé la commande, il chuchota :

— J'ai dit n'importe quoi. Le sommelier doit me prendre pour un pignouf !

Il riait. Peut-être avait-il, le temps d'un clin d'œil, oublié Jilou. Mais ce n'était qu'une apparence. Bientôt il revint à son obsession :

— Je devrais peut-être lui téléphoner.

— Non, dit-elle. Tu ne vas pas l'appeler chez Marzona ! Attends un peu. Elle finira bien par se manifester.

Xavier baissa la tête. La fin du repas fut triste. Ils n'échangèrent plus que des propos anodins sur la nourriture, les voisins de table et la pièce qu'ils avaient vue ce soir. Jilou venait de s'asseoir entre eux. Sylvie songea que sa mère avait pris une place démesurée, anormale dans son existence. Autrefois elle avait des amies dont elle recherchait la compagnie avec une fougue juvénile. Mais Arlette s'était mariée et installée à Lyon, Muriel était partie avec ses parents pour le Chili, Brigitte était devenue infréquentable à force de snobisme. Jilou les avait toutes remplacées dans le cœur de sa fille. A elle seule, elle lui tenait lieu de confidente, de camarade, de modèle dans la fantaisie. Que de fois elles avaient ri ensemble devant les mines déconfites de Xavier lors de leurs initiatives extravagantes ! Elles se comprenaient à demi-mot. Elles étaient la même femme à deux âges différents. Avec un serrement de gorge, Sylvie se rappela l'époque où Jilou s'était passionnée pour les achats de bibelots. Elles allaient ensemble au marché aux Puces, le dimanche, traînant derrière elles un Xavier engourdi, ahuri. Puis elles s'étaient aventurées toutes deux dans les salles de vente de l'hôtel Drouot. C'était parfois Me Philippe Marzona qui officiait. Jilou était-elle déjà sa maîtresse ? Elle se lançait dans la bagarre des chiffres avec fièvre. Son ardeur la poussait souvent à dépasser le prix qu'elle s'était fixé. Dressée sur la pointe des pieds, les yeux luisants de convoitise, elle faisait, à chaque nouvelle enchère, un petit hochement de tête à l'intention du commissaire-priseur. Sylvie la raisonnait : « C'est trop cher, maman. Abandonne ! » Mais Jilou s'obstinait jusqu'à la victoire finale. Les retours à la maison étaient comiques. Xavier prenait un air penaud : « Tu la trouves jolie, cette boîte à couture chinoise ?... Que vas-tu faire de ce brûle-parfum 1900 ? Enfin, si ça te plaît... » Il était aussi pondéré et docile que Jilou était enthousiaste et imprévisible. Souriant à « ses femmes », il disait : « Vous êtes tellements drôles toutes les deux avec vos emballements pour les mirifiques surprises du bric-à-brac ! » Ils commandèrent des sorbets au citron pour le dessert. Peut-être Jilou s'était-elle ennuyée à la longue aux côtés d'un mari trop sage, trop quotidien, trop absorbé par ses activités professionnelles ? Peut-être Philippe Marzona lui apportait-il le scintillement intellectuel et mondain loin duquel elle ne pouvait vivre ? Sylvie connaissait mal cet homme. Elle le jugeait sur des impressions d'enfant révoltée. Après avoir désavoué aveuglément sa mère, elle éprouvait le besoin de comprendre, avec sa chair et son esprit de femme, pourquoi Jilou avait préféré Marzona à Xavier. Soudain il lui paraissait évident qu'elle ne retrouverait la paix que le jour où cette question aurait été élucidée. Xavier suçotait son sorbet à minces cuillerées, le regard vague. Un vieux petit garçon en pénitence. Elle le plaignit tout en le jugeant par trop vulnérable. Il la ramena chez elle en voiture. En le quittant, il lui sembla que cette soirée les avait encore rapprochés l'un de l'autre. Sa décision était prise : il fallait qu'elle revît Philippe Marzona pour se faire une idée précise sur le personnage.

Le lendemain, elle acheta *La Gazette de l'Hôtel Drouot* pour se renseigner sur les prochaines vacations. Elle y lut que Me Philippe Marzona procéderait, le vendredi 18 mars 1960, à la vente d'une importante collection de livres anciens et d'autographes provenant de la succession d'un amateur. Aussitôt, elle avertit Mlle de Connafieu qu'elle ne serait pas libre ce jour-là. Celle-ci crut à un rendez-vous sentimental et plaisanta Sylvie sur ses problèmes de cœur. Pour éviter des complications, Sylvie feignit d'être devinée. Le vendredi, dès une heure et demie, elle était sur les lieux. Par chance, elle put s'asseoir sur un bout de banquette, au sixième rang. La salle s'emplit rapidement d'une foule houleuse. Comme il s'agissait d'une « grande vente », l'assistance était plus choisie, plus disciplinée que d'ordinaire. Me Philippe Marzona apparut sur l'estrade. Tiré à quatre épingles, selon son habitude, il avait l'œil vif, le geste aérien. L'expert et le greffier avaient pris place à leur tour. Le crieur s'avança devant le public. Les enchères commencèrent. Pour chaque article, Me Philippe Marzona donnait son commentaire d'une voix grave et mélodieuse :

— Belle lettre autographe de Benjamin Constant à Barras pour défendre Mme de Staël injustement soupçonnée par les membres du Directoire... Longue lettre de Flaubert à son oncle pendant le voyage en Orient. Ce voyage, fait en compagnie de Maxime Du Camp, lui inspire des descriptions pittoresques et hautes en couleur... Manuscrit de Joseph Fouché prêchant l'union autour du trône, en juillet 1815, pour ramener le calme en France et sauver la patrie...

Sa science et son assurance confondaient Sylvie. Devant lui, les enchères fusaient. Des chiffres volaient de bouche en bouche, répétés par le crieur. D'une main, Philippe Marzona balançait son marteau d'ivoire avec élégance, de l'autre, il esquissait au-dessus du public des gestes souples de chef d'orchestre. Son regard courait de droite à gauche pour capter le moindre signe parmi la masse des acheteurs. Sa voix autoritaire activait le feu de la compétition :

— Sept mille cinq cents à ma droite... Six cents au fond... Sept cents devant moi, par une dame... Ce n'est plus vous, monsieur... Huit mille... Une pièce exceptionnelle... Huit mille... Je vais adjuger...

Le marteau d'ivoire se levait, hésitait, et la voix reprenait, imperturbable :

— Neuf mille... Neuf mille cent...

Il avait l'air d'un diable farceur qui jouait avec les nerfs de la salle. Son amusement n'avait d'égal que la passion exacerbée des acheteurs. Il émanait de lui une sorte de magnétisme fait d'intelligence, de subtilité et de ruse. Soudain son regard s'arrêta sur Sylvie. Il l'avait repérée. Elle ravala son souffle. Nullement troublé, Mᵉ Philippe Marzona continuait sa litanie :

— Neuf mille cinq cents... Qui dit plus ?... Je vais adjuger...

Jusqu'à la fin de la séance, Sylvie vécut dans un état de fascination malsaine, d'indignation jugulée. A son corps défendant, elle se sentait sur le point d'excuser Jilou. Cet homme-là était, à coup sûr, aussi exceptionnel dans son genre que Xavier. Vif, dominateur, dangereux, mais attirant. Aurait-elle, sans le savoir, les mêmes goûts que sa mère ?

A l'issue de la vente, tandis que les acheteurs se pressaient devant le greffier, Mᵉ Philippe Marzona s'avança vers elle et dit :

— Bonjour, Sylvie. Jilou est très affectée par votre refus de la voir. Vous devriez passer à la maison. Elle est souffrante. Rien de grave. Une petite grippe qui traîne en

longueur. Allez-y. Tout de suite. Vous êtes
sûre de la trouver.

Son regard insistant remua Sylvie. Elle
secoua la tête négativement. Mais elle savait
déjà qu'elle irait.

* * *

— Je voudrais voir Mme Borderaz, dit
Sylvie.

La femme de chambre — une grande
haquenée blonde au regard soupçonneux —
marmonna :

— Madame ne reçoit pas.

— Vous lui direz que c'est sa fille.

Les yeux de la domestique s'arrondirent.
Sa lèvre inférieure se décrocha.

— Ah ! bien... Je vais la prévenir, balbutia-t-elle en faisant entrer Sylvie.

Et elle partit d'un pas rapide. Restée seule
dans le vestibule très vaste, dallé de marbre
rose et blanc, Sylvie admira deux énormes
vases en bronze ciselé sur des colonnes de
porphyre, une fontaine en métal doré aux
ornements gracieux, un tableau de l'école
italienne représentant une scène mythologi-
que sous un ciel tourmenté. D'autres
tableaux, pendus aux murs et éclairés par
des spots, témoignaient du goût de leur
propriétaire pour l'art de la Renaissance.

Sylvie avait l'impression de s'être fourvoyée dans un musée. En tout cas, elle n'était pas chez Jilou. La femme de chambre revint :

— Si vous voulez me suivre, Mademoiselle...

Elles traversèrent un grand salon dont chaque meuble proclamait son authenticité et son prix, un petit salon où luisaient des ivoires et des laques chinois, et soudain Sylvie se trouva dans un cadre de boiseries anciennes, en face de sa mère qui se levait de son lit et lui ouvrait les bras. D'abord elle reconnut à peine Jilou dans cette femme en chemise de nuit, pâle, fatiguée, décoiffée, au regard décentré par un afflux de larmes. Elles s'étreignirent avec une violence éperdue.

— Oh ! Sylvie, tu es venue ! murmura Jilou.

— Tu es malade, maman ?

— Ce n'est rien. J'ai été très secouée par une bronchite en rentrant de Val-d'Isère. Maintenant je vais mieux.

— Allonge-toi.

Jilou se recoucha, le buste soutenu par une pile d'oreillers. Sylvie s'assit à son chevet sur une chaise basse. Elle scrutait sa mère et souffrait de la voir moins belle que dans son souvenir. Elle avait envie de la maquiller, de passer un peigne dans ses cheveux.

— Comment va Xavier ? demanda Jilou.

— Mal.

— Tu le vois souvent ?

— Bien sûr ! Il est désespéré. Pourquoi ne l'as-tu pas appelé une seule fois depuis ton retour ?

— Parce que ces coups de téléphone entre nous sont néfastes. Ils entretiennent en lui un espoir morbide. Après chaque conversation, au lieu de m'oublier il reprend confiance. Il faut absolument qu'il accepte, qu'il guérisse...

— Il ne guérira jamais, maman, tu le sais bien.

Jilou jeta son visage dans ses mains, puis, écartant les doigts, redressa la tête avec une petite grimace irrésolue et gémit :

— Que faire ?

— Reviens, maman.

— C'est hors de question !

— Pourquoi ?

— J'estime trop Xavier pour retourner auprès de lui par pitié.

— Il s'en contenterait.

— Pas moi. Il mérite mieux que ça. Et puis, moi aussi, j'existe. Je ne peux pas tout sacrifier ainsi.

— Tu es donc plus heureuse maintenant ?

Une expression d'égarement altéra les traits de Jilou. Elle ne regardait plus sa fille mais la fenêtre, droit devant elle.

— Je ne sais pas, dit-elle enfin. Oui, sans doute... Plus pleinement heureuse... Je ne regrette rien... J'aime Philippe... Mais, en même temps, je suis mal dans ma peau... Je voudrais tant que Xavier se détache de moi peu à peu... Je ne peux pas supporter qu'il soit si triste à cause de moi !...

— Il n'est pas triste, maman, il est misérable.

— C'est horrible, ce que tu me dis là !

— Mais cela ne te fait pas changer d'avis ?

— Non, Sylvie, tu ne peux pas comprendre...

Or, depuis un moment, Sylvie avait justement l'impression de comprendre sa mère mieux que jamais. Sans l'excuser, elle entrait dans sa logique amoureuse. Elle vivait ce drame non plus selon les lois de la morale, mais selon d'autres lois plus mystérieuses qui lui venaient de ses entrailles de femme. Jilou eut une quinte de toux, s'essuya les yeux du revers de la main et chuchota :

— Je dois être affreuse ! Pourquoi ne m'as-tu pas prévenue de ta visite ?

Elle se leva, enfila un déshabillé de satin crème que Sylvie reconnut au passage et se glissa dans son cabinet de toilette. Sylvie la suivit et la regarda se coiffer, se maquiller.

Touche après touche, sous l'effet du fard, le visage glorieux de Jilou revenait à la surface. Elle arborait de nouveau le masque du bonheur. Elle allait entrer en scène. Sylvie avait envie d'applaudir.

— Que tu es belle, maman ! dit-elle.

— Penses-tu ! s'écria Jilou. J'ai le nez comme une patate ! Mais toi, ma chérie, tu es ravissante. Je te trouve en pleine forme. Tu travailles toujours avec Mlle de Connafieu ?

— Toujours.

— Tu lui feras mes amitiés. Mais ne dis pas à Xavier que tu m'as vue. Il se croirait obligé de me téléphoner. Et ça, je ne le veux à aucun prix ! Il faut laisser le silence agir...

Soudain une lumière de joie étincela dans les yeux de Jilou et elle reprit avec entrain :

— Si tu restais dîner ?

— Non, maman, dit Sylvie d'un ton dur.

— Tu apprendrais à mieux connaître Philippe.

— Je n'y tiens pas.

— Je t'assure que tu devrais...

— N'insiste pas, maman.

— Tu sais, il ne va pas tarder à rentrer.

— Justement. Je veux m'en aller avant son arrivée.

— Mais tu reviendras me voir !

— Non. Viens me voir, toi, maman. Viens me voir souvent. J'ai un tel besoin de toi !

Elles s'embrassèrent en pleurant. Puis Sylvie effleura des lèvres la bouche de sa mère comme lorsqu'elle était enfant. Elle respirait sur ce visage défait une odeur de peau très légèrement parfumée et de fièvre. Tout son passé refluait dans sa tête avec une violence douloureuse. Elle s'arracha au vertige, bredouilla : « Au revoir, maman ! » et courut vers la porte.

En retraversant le salon aux meubles hiératiques, elle ne savait plus si elle devait plaindre Xavier ou Jilou.

* *
*

A son retour rue Jacob, Sylvie trouva Clémence qui l'attendait, la mine penaude. Contrairement à son habitude, la chienne ne lui fit pas la fête, mais rampa humblement sous une commode. En passant dans la salle de bains, Sylvie découvrit une serviette-éponge déchiquetée et des traînées laiteuses sur la carpette. Pour tromper l'ennui de la solitude, Clémence avait mangé le savon. N'allait-elle pas tomber malade ?

— Cette chienne est impossible ! s'écria Sylvie.

Et elle se sentit tout heureuse d'avoir un autre souci dans la vie que sa mère et Xavier.

XIII

C'était Olivier qui avait eu l'idée de cette soirée amicale, dimanche, dans l'appartement de la rue Jacob. Sylvie avait préparé des amuse-gueule ; les filles avaient apporté « un tas de petits trucs sucrés », les garçons des bouteilles. On était neuf en tout, bien résolus à se divertir jusqu'à l'aube. Les voisins avaient été prévenus. Une musique violente s'échappait de l'électrophone. Trois couples se trémoussaient au milieu de la pièce. Clémence, d'abord affolée par le vacarme et le tourbillonnement, avait fini par s'installer sur le divan d'où elle observait la fête avec philosophie. De temps à autre, quelqu'un s'asseyait à côté d'elle et lui faisait une caresse ou lui donnait un petit four. Gavée, elle laissait pendre sa langue et haletait de plaisir. Olivier invita

Sylvie à danser. Elle se laissa porter par le rythme rapide, le haut du corps presque immobile, les jambes et le bassin animés d'un souple mouvement de rotation. Cette agitation cadencée lui procurait une extraordinaire sensation de liberté et d'allégresse. Les explosions de la batterie retentissaient jusque dans ses os. Ses soucis habituels s'émiettaient dans le bruit et la trépidation. Xavier avait enfin accepté de passer le week-end chez des amis, les Cotinot, qui avaient une propriété à Montfort-l'Amaury. Quant à Jilou, elle était à Honfleur, avec Philippe Marzona. L'absence de ses parents rendait Sylvie à elle-même. En face d'elle, Olivier, dégingandé et hilare, se dévissait les genoux avec une aisance serpentine. Sa désinvolture contrastait avec l'application maladroite de ses camarades. Elle aimait qu'il fût cette sorte de funambule échappant aux lois de la pesanteur. En passant devant la table du buffet, il saisit un petit four et l'engloutit.

— C'est rudement chouette, cette soirée ! dit-il. On recommencera !

— Je n'ai pas fait assez de sandwiches, soupira Sylvie.

— Tu crois ? On s'en fout !

Et, comme un slow succédait au twist, il l'enlaça étroitement, lui effleura le cou d'un baiser et lui mordilla le lobe de l'oreille. A présent ils se balançaient, joue à joue, ventre à ventre, jambes entremêlées. Une fille éteignit toutes les lampes sauf une, dans le coin, dont l'abat-jour épais ne laissait filtrer qu'une lumière confidentielle. On se dandinait, on se respirait, on se préparait, en rêve, à d'autres étreintes. Puis Nicolas suggéra d'aller dans une boîte :

— Pourquoi ? On est bien ici ! dit Olivier.

Mais la majorité opta pour le changement. Ce fut un joyeux branle-bas, auquel Clémence participa par des aboiements. Sylvie la calma en prononçant au-dessus de sa tête la formule rituelle :

— Non, tu restes ici, Clémence. Je ne peux pas t'emmener. Tu es sage. Tu gardes la maison.

Brusquement désenchantée, Clémence devint la chienne la plus malheureuse de la terre. Son poil même paraissait terni. Aplatie, le museau allongé, elle n'était qu'une bête abandonnée, tout juste bonne pour la fourrière.

— As-tu fini de jouer la comédie ? lui dit Sylvie avec sévérité.

Au même instant, le téléphone sonna. Olivier arrêta le disque, coupant net l'envolée d'une âpre chanson d'Aznavour. Sylvie se réjouit en entendant au bout du fil la voix de Xavier.

— C'est gentil de m'appeler ! s'écria-t-elle. Tout va bien à Montfort-l'Amaury ?

— Je suis à la maison, Sylvie.

— Comment ? Tu n'es pas parti ?

— Non.

— Mais pourquoi ?

— A la dernière minute, je n'ai pas pu me résoudre à prendre la route.

Sylvie était consternée. Elle avait tant espéré une éclaircie dans l'humeur de Xavier que cette soudaine dérobade lui apparaissait comme une défaite personnelle.

— Les Cotinot sont pourtant des amis charmants ! dit-elle. Tu les aimes bien !...

— Oui, mais je n'ai pas envie de les voir. Je n'ai envie de voir personne. Et puis, tu comprends, si Jilou téléphonait pendant que je ne suis pas là... ce serait... ce serait trop bête !...

Elle se fâcha :

— Tu es fou, Xavier ! Elle ne téléphonera pas !

— On ne sait jamais. Alors voilà, je voulais te dire que je suis chez nous. Et toi, que fais-tu ?

— Je reçois quelques copains.

— Je tombe mal !

148

— Mais non.

— Je vais te laisser. Amuse-toi bien. Bonsoir, Sylvie.

Elle voulut ajouter un mot de douceur, mais il avait déjà raccroché. Olivier, qui avait entendu des bribes de conversation, la regardait avec une réserve embarrassée. L'élan était rompu. Elle domina sa contrariété et dit gaiement :

— Alors, on y va ?

Au préalable, elle rangea les restes de nourriture dans le garde-manger pour éviter à Clémence la tentation du chapardage. Puis les filles passèrent dans la salle de bains pour se coiffer et se remaquiller. Elles étaient pomponnées et portaient des robes-fleurs très serrées à la taille, qui s'évasaient vers le bas. Les garçons avaient une allure de dandys, vestes longues, cravates aux dessins sobres, cheveux fournis dans le cou et au sommet du crâne. Toute la bande prit le large, en ébranlant l'escalier de bois sous sa galopade.

Ils débarquèrent, en commando joyeux, dans le sous-sol d'une boîte du quartier Latin dont Olivier connaissait le propriétaire. Il avait du reste aidé à la décoration de l'endroit. Une caverne bleu indigo et rouge sang, aux lumières sourdes, aux banquettes incommodes et aux tables basses.

La sono était de premier ordre. Dès le seuil, la musique, ample et sauvage, vous mettait des fourmis dans les jambes. Sur la piste, une foule compacte piétinait en se contorsionnant. Rien que des jeunes. L'univers entier avait changé d'âge. On trouva difficilement un coin pour se caser tous les neuf. Un serveur en manches de chemise apporta les consommations. Le guéridon était juste assez grand pour supporter tous les verres. Sylvie, qui avait la gorge sèche, avala une lampée d'orangeade. Subitement elle ne se sentait pas à sa place dans ce lieu de gaieté et de flirt. Sa conversation avec Xavier l'avait comme vidée de ses forces. Au milieu du vacarme, elle ne cessait de penser à lui, à sa faiblesse, à son chagrin, à sa solitude. Pourquoi lui avait-il téléphoné ? N'était-ce pas un appel au secours ?

— Tu viens danser ? lui demanda Olivier.

— Non, répondit-elle. Je crois que je vais partir.

Le bruit était tel qu'il n'entendit pas sa réponse.

— Je vais partir, répéta-t-elle plus fort.

— Tu es dingue ! s'écria-t-il. On vient à peine d'arriver. Où veux-tu aller ?

— Il faut que je voie Xavier.

— A cause de son coup de téléphone ?

— Oui. Il a besoin de moi en ce moment.

— Moi aussi, j'ai besoin de toi !

— Ce n'est pas la même chose, Olivier. Je suis inquiète. Il déraille complètement. Je vais faire un saut là-bas et je reviens...

— Dans combien de temps ?

— Je ne sais pas...

— Si tu n'es pas là dans une heure, je me tire !

— Eh bien, rentre chez nous, rue Jacob, et attends-moi. Je te rejoindrai dès que je le pourrai.

Elle s'était levée et, sans prendre congé de ses amis, se frayait un passage à travers la cohue sautillante des danseurs. Olivier marchait derrière elle. Dans le hall d'entrée, devant le vestiaire, il éclata :

— Tu n'es pas chic de partir comme ça, Sylvie !... Je ne compte plus pour toi... Tu n'as en tête que ton beau-père, ses cafards, sa fatigue... Ma parole, tu es plus amoureuse de lui que de moi !

Elle reçut cette apostrophe comme un seau d'eau froide en pleine figure. Le souffle coupé par l'indignation, elle ne trouvait pas de mots pour répondre. Enfin elle articula d'une voix blanche :

— Ce que tu dis là est monstrueux, Olivier !

Conscient d'avoir passé la mesure, il amorçait une prudente reculade :

— Oui, quoi ?... Tu t'occupes trop de lui... Depuis que tes parents sont séparés, tu t'es transformée en infirmière... Je ne te sens plus présente... Tu m'échappes... Et j'en souffre, Sylvie... J'en souffre comme Xavier, autant que Xavier... Si tu le comprends, tu dois me comprendre...

— Tu ne vas pas comparer ta situation à la sienne, dit-elle en haussant les épaules. Ou alors l'égoïsme t'aveugle. Je te répète que je ne serai pas longue. Mais là, je dois vraiment y aller...

Il ouvrit les bras dans un mouvement d'oiseau et les laissa retomber mollement. Ses colères étaient toujours de courte durée. Il ignorait la rancune. Était-ce chez lui un manque de caractère ou une sorte d'indifférence à tout ce qui n'était pas son art ? Pourtant il venait de prouver qu'il était capable de jalousie. Une jalousie absurde, et même injurieuse. Sylvie ne savait plus si elle devait s'en formaliser ou en sourire.

— Tu me promets de m'attendre à la maison avec Clémence ? dit-elle encore.

Elle lui piqua un baiser comique sur le bout du nez, selon son habitude, et s'éclipsa, le laissant contrit, soumis et décontenancé.

La voiture de Mlle de Connafieu était garée dans la rue de Tournon. Sylvie, qui l'avait toujours à sa disposition, rêvait néanmoins d'en posséder une bien à elle. Mais la dépense la faisait encore hésiter. Elle était loin d'avoir fini de rembourser Xavier pour l'achat de son appartement. Et cette dette lui pesait, bien qu'il lui eût dit cent fois de ne pas s'en préoccuper. Elle conduisait vite, dans un Paris à moitié désert. Il était une heure et demie du matin lorsqu'elle arriva avenue Victor-Hugo. Elle fouilla dans son sac à main, en tira la clef et entra. L'obscurité, le silence, le vide. Tout paraissait dormir. Mais un rai lumineux soulignait la porte du cabinet de consultation. Xavier n'était pas encore couché. Elle s'avança, frappa, entendit une voix faible : « Oui », poussa le battant et se trouva devant Xavier qui, assis à sa table de travail, écrivait. La lampe à l'abat-jour vert éclairait durement son visage aux traits affaissés. En apercevant Sylvie, il eut un mouvement de surprise :

— Pourquoi es-tu venue ?

— Je crois que c'était nécessaire, dit-elle.

— Mais non, tu vois, je vais très bien.

Elle se pencha sur la table pour voir ce qu'il était en train d'écrire. Le début d'une lettre. Stupéfaite, elle balbutia :

— Ma parole, tu écris à Jilou !

Il inclina la tête sans répondre. Elle saisit la page et parcourut les premières lignes : « Ma chérie, sans toi, je suis un homme perdu. Je suis prêt à tout accepter, mais ne me prive pas de ta présence... »

— Et tu veux envoyer ça ? s'écria-t-elle. Toi, Xavier ?

D'un geste furieux, elle rejeta la lettre sur le bureau.

— Je sais, dit-il, c'est idiot ! Mais je n'y peux rien ! Je veux tout essayer...

Il ramassa la lettre, la relut lui-même, hésita, puis la déchira et en jeta les morceaux dans la corbeille à papier.

— Voilà, dit-il. Tu es contente ? C'est difficile, Sylvie ! Je lui ai téléphoné quatre fois. Et quatre fois elle m'a fait répondre qu'elle n'était pas là. Pourquoi est-elle si méchante avec moi ?

— Pour ton bien, Xavier. Pour que tu comprennes que, toi et elle, c'est fini, fini !

Il s'obstinait :

— Si elle continue à se taire, je vais téléphoner à Philippe Marzona, à son bureau, pour avoir des nouvelles...

— Il te répondra qu'elle ne manque de rien, qu'elle est heureuse, et tu ne seras pas plus avancé !

— Comment pourrait-elle être heureuse

avec lui après ce que nous avons vécu ? Un amour comme le nôtre vous marque pour l'existence entière. Moi, sans elle, je suis réduit à zéro. Je ne peux plus travailler. J'ai envie de tout plaquer, l'hôpital, les malades... D'ailleurs, je déraille complètement dans ma vie professionnelle... Mes confrères s'en aperçoivent... C'est navrant...

— Tu n'as pas le droit, Xavier...

— Si... Pourquoi ?... Je ne suis pas un surhomme... Toi, tu es jeune. Tu sais te passer de Jilou... Moi pas...

— Je t'aiderai.

— Tu ne peux pas la remplacer. C'est ma vie d'homme qui est en jeu !

— Pense un peu moins à ta vie d'homme et un peu plus à sa vie de femme, dit-elle.

Il leva sur elle un regard de naufragé. Ses yeux étaient rouges. Une ombre de barbe bleuissait le contour maigre de ses joues. Soudain elle eut conscience qu'il l'avait comprise à demi-mot. Pour la première fois, il découvrait la signification charnelle de sa disgrâce.

— Tu veux dire qu'elle s'entend mieux physiquement avec Philippe Marzona qu'avec moi ? demanda-t-il.

— J'en suis sûre !

— Tu l'as donc vue ?

— Oui.

— Et tu ne me l'as pas dit !

— Non, Xavier.

— T'a-t-elle parlé de nous deux ?

— Oui, sans insister... Mais à présent je suis fixée... C'est même pour ça que je suis ici, ce soir... Tu n'as aucune chance de la voir revenir à toi, Xavier... Elle a trouvé son véritable équilibre... Elle veut oublier le passé...

Sur le moment, elle se demanda si elle n'avait pas assené le coup avec trop de force. Mais il fallait cette opération cruelle, en pleine chair, pour le guérir. Il s'était renversé sur le dossier de son fauteuil et, les bras croisés, respirait profondément.

— Bon, dit-il enfin d'une voix enrouée. Cette fois, tout est clair. Tu as eu raison de me parler franchement. Maintenant laisse-moi...

Elle eut peur de l'abandonner après un choc pareil. Dans son désarroi, il était capable de n'importe quelle folie.

— Non, dit-elle spontanément, je préfère rester encore un peu.

— C'est inutile, ma chérie. Je vais me coucher. Je suis fatigué...

— Eh bien, bonne nuit... Ne t'occupe pas de moi... J'aime m'attarder ici, toute seule... Ça me rappelle le passé.

— Je t'assure que tu devrais partir...

— Je partirai bientôt, je te le promets. Très bientôt. Dès que tu te seras endormi.

Il s'était levé. Elle l'embrassa et le conduisit, voûté, lourd et lent, jusqu'à son ancienne chambre.

— Ne t'inquiète de rien, dit-il encore sur le seuil. J'ai un sommeil de plomb.

Il souriait d'une lèvre tremblante. Elle retourna dans le bureau et téléphona chez elle. A la première sonnerie, Olivier décrocha. Il venait d'arriver. Clémence l'avait accueilli comme un sauveur. A présent, tout à fait calme, elle somnolait, lovée en croissant, dans son panier. Sylvie lui fit part de son inquiétude :

— Xavier est dans un tel état que je ne peux pas le laisser !

— Tu comptes passer la nuit avenue Victor-Hugo ?

— Non, bien sûr ! Mais ne m'attends pas. Je te réveillerai en arrivant.

L'intonation de Sylvie était si douce qu'il ne protesta pas contre son intention de rentrer plus tard. En reposant l'appareil, elle mesura sa chance d'être aimée, avec tous ses défauts, avec toutes ses lubies, par un homme de la qualité d'Olivier.

Puis elle se rendit dans la chambre de sa mère. Le lit était fait, comme si Jilou y habitait encore. Sans doute était-ce Xavier qui en avait donné l'ordre dans l'espoir d'un retour inopiné. Elle s'allongea, tout habillée, avec l'impression d'avoir, entre-temps, changé de peau. Dans ce décor bleu pâle, elle était à la fois Sylvie et Jilou, jeune et mûre, amoureuse et infidèle. Tout basculait, le temps et les cœurs. Plusieurs fois, elle éteignit et ralluma la lampe de chevet. Elle ne pouvait se résoudre à dormir. Que faisait Xavier ? Ne s'était-il pas drogué pour la nuit ? N'avait-il pas dépassé la dose ? Sa chair se hérissait de peur à cette seule idée. Elle crut entendre un pas dans le vestibule, se leva d'un bond, sortit sur le seuil. Rien. Elle s'avança jusqu'à la porte de la chambre où reposait Xavier, colla l'oreille au battant. Dans le silence, elle discerna une respiration égale. Rassurée, elle se recoucha sur le lit. Mais le sommeil ne venait toujours pas. A quatre reprises, des craquements suspects la dressèrent ainsi sur son séant et la précipitèrent dans les profondeurs de l'appartement, la tête enfiévrée. Ces rondes successives l'épuisaient. Enfin elle se dit que ses craintes étaient vaines. Elle pouvait retourner chez elle. Au même moment, le sommeil fondit sur elle et la terrassa, inconsciente, brisée.

Quand elle s'éveilla, à sept heures du matin, Xavier était déjà parti pour l'hôpital.

Il lui avait laissé un billet sous enveloppe, bien en évidence, sur la commode de la chambre : « Ma chérie, je suis bouleversé à l'idée que tu es restée ici toute la nuit à cause de moi. Ce matin, je suis entré sur la pointe des pieds dans la chambre et je t'ai vue assoupie sur le lit de Jilou. Je me suis cru reporté à des années en arrière. Je te regardais dormir ainsi, parfois, lorsque tu étais petite fille et que nous nous penchions, Jilou et moi, sur ton sommeil, en revenant d'une soirée. Il y a entre toi et moi une merveilleuse complicité que j'apprécie chaque jour davantage. Nous sommes faits pour nous entendre dans toutes les circonstances de la vie. Ce que tu m'as dit hier m'a ouvert les yeux. J'ai tout compris avec douleur, avec certitude. Mon métier m'aidera à surmonter cette épreuve. Les souffrances que je côtoie sont tellement plus tragiques que la mienne ! Je ne te parlerai plus de Jilou qu'au passé. Merci pour tout, Sylvie. Tu es, tu resteras ma fille à jamais. Je t'embrasse tendrement. A bientôt, Xavier. »

Émue aux larmes, elle replia la lettre, la glissa dans son sac à main et se rua dehors. Elle devait se dépêcher si elle voulait voir Olivier avant son départ pour le bureau.

Quand elle arriva dans son appartement, rue Jacob, elle trouva Clémence qui l'attendait, couchée derrière la porte. Bondissant et jappant, la chienne la précéda dans la chambre. La lumière du petit matin passait par l'interstice des rideaux. Olivier était étendu, nu, à plat ventre, sur les couvertures, le dos musclé, les fesses pommées, les jambes et les bras épars, dans une pose de nageur indolent. Elle admira ce corps d'acrobate à la peau ambrée, se pencha sur lui, respira son odeur fauve, se déshabilla promptement et s'allongea près de lui sur le lit. Ce mouvement le réveilla. Il se tourna sur le côté et, les paupières encore collées de sommeil, l'enlaça, à tâtons, avec une douceur possessive.

XIV

Contrairement à sa promesse, Xavier retomba très vite dans le désespoir. Chaque fois qu'elle le rencontrait, Sylvie constatait avec anxiété les progrès du mal sur cet homme vulnérable et naïf. Incapable de se résigner, il la supplia d'organiser une entrevue chez elle, « en terrain neutre », selon sa propre expression, entre lui et Jilou. Elle inviterait sa mère à dîner, par exemple, sans la prévenir de rien et il arriverait à la fin du repas, comme à l'improviste. Il était sûr qu'en le revoyant Jilou comprendrait son erreur. D'abord sceptique, Sylvie se dit qu'il avait peut-être raison et que sa mère ne résisterait pas à ces retrouvailles de tendresse et de pardon. N'y eût-il là qu'une faible chance de réconciliation, l'aventure valait la peine d'être tentée. Ce fut avec un sentiment de culpabilité qu'elle proposa à Jilou de venir dîner à la maison le vendredi suivant. Jilou accepta joyeusement sans se douter du traquenard.

En recevant sa mère, Sylvie souffrait de l'avoir trompée. Mais, afin de soulager sa conscience, elle se répétait que c'était pour leur bien à tous trois. Elles s'installèrent côte à côte, sur le divan, près de la table basse. Jilou avait apporté un assortiment de petits plats excitants achetés chez un traiteur. Assise entre les deux femmes, Clémence salivait de convoitise. De temps à autre, Sylvie lui tendait un bout de pain beurré que la chienne happait avec voracité. La conversation roulait sur Olivier, toujours aussi amoureux et aussi fantasque, sur la cataracte de Clémence que le vétérinaire déconseillait d'opérer, sur Mlle de Connafieu qui envisageait de se retirer et de laisser à Sylvie la direction des affaires, se bornant à intervenir dans les cas les plus difficiles. Cette marque de confiance renforçait en Sylvie une double notion de responsabilité et de réussite. Malgré la catastrophe qui s'était abattue sur la famille, elle était heureuse d'être utile à Xavier, utile à Olivier, utile à Mlle de Connafieu, utile même, peut-être à Jilou. Par une convention tacite, elles évitaient de parler de Xavier, mais Sylvie était sûre qu'en ce moment il pesait du même poids dans leur esprit à toutes deux. A mesure que les minutes passaient, elle sentait croître, tout ensemble, son espoir et sa crainte. Elle finissait d'avaler sa salade de fruits lorsqu'on sonna à la porte. Clémence se précipita en aboyant. Sylvie feignit l'étonnement et alla ouvrir. Dans le vestibule, Xavier chuchota :

— Elle est là ?

— Oui.

— Tu ne l'as pas avertie ?

— Non.

— C'est bien.

Sylvie était oppressée jusqu'au malaise. En pénétrant dans le living, elle annonça avec une fausse assurance :

— C'est Xavier, maman.

— Oui, marmonna-t-il en s'avançant. Je passais par là. J'ai vu de la lumière à la fenêtre de Sylvie. Je suis monté à tout hasard...

Il mentait mal, le regard fautif, un sourire niais aux lèvres. Jilou s'était mise debout. Une expression de désarroi douloureux altérait son visage. Son regard allait de Sylvie à Xavier avec indignation, avec reproche, avec tristesse. De toute évidence, elle avait compris qu'il s'agissait d'un guet-apens imaginé par son mari et sa fille. Prise au piège, elle dit simplement :

— Quelle coïncidence ! Bonsoir, Xavier.

Il lui saisit les deux mains et la dévora des yeux en silence. Elle aussi semblait bouleversée. Soudain elle s'abattit sur la poitrine de Xavier. Ils s'étreignirent longuement. Un espoir fou éclata dans la tête de Sylvie : la partie était gagnée ! Mais déjà Jilou s'écartait de Xavier et se rasseyait sur le divan. Une respiration profonde soulevait ses seins sous le chemisier rayé noir et blanc. Comme si elle eût repris conscience après le choc qui l'avait désarçonnée. Enfin, il demanda :

— Tu vas bien, Jilou ?

— Très bien, répondit-elle. Et toi ?

— Moi, je crève, dit-il entre ses dents.

Elle baissa les paupières, les releva sur des prunelles sombres, luisantes de larmes contenues, et murmura :

— Je t'en prie, Xavier... Je voudrais éviter de te faire du mal. J'ai tant d'affection pour toi ! Mais à quoi bon nous tourmenter davantage ? Je ne reviendrai pas à la maison.

— Même si je te le demande à genoux ? s'écria-t-il.

Et, pliant les jarrets, il s'agenouilla maladroitement devant elle.

— Xavier ! gémit Sylvie. Non ! Il ne faut pas !...

Elle était hérissée d'horreur devant une telle déchéance. De nouveau elle en voulait à sa mère d'avoir réduit un homme de cette valeur à l'état de loque. Croyant à un jeu, Clémence s'était ruée sur Xavier prosterné et tournait autour de lui avec des jappements d'allégresse. Pleurant et balbutiant, il baisait les mains de Jilou et répétait :

— Reviens !... Reviens !... Tu verras, nous aurons une vie merveilleuse !...

Jilou se leva pour échapper à ses embrassements et dit avec une fermeté compatissante :

— Non, Xavier... Pas ça... Je ne le mérite pas... Personne ne le mérite... Reprends-toi... Je vais m'en aller...

Il se redressa, les yeux hors de la tête, la saisit à bras-le-corps et demanda :

— Alors quoi, tu vas épouser Philippe Marzona ?

— Oui, Xavier.

— Quand ?

— Dès que ce sera possible, balbutia Jilou.

Son regard, chargé de tendresse, cherchait à atténuer la dureté de ses paroles. Il se détacha d'elle et recula, tête basse. Ce dernier coup l'avait achevé.

— Adieu, Jilou, dit-il.

Et il se dirigea vers la porte. Sylvie le rattrapa dans le vestibule.

— Eh bien, voilà, j'ai tout gâché, dit-il. Va la rejoindre.

Il serra Sylvie dans ses bras. Elle s'abandonna, rompue par l'émotion, contre cette maigre et dure poitrine d'homme. Quand il fut parti, elle retourna dans le living et affronta sa mère qui, debout, la considérait avec un mélange de honte et de réprobation.

— Tu avais tout combiné, dit Jilou.

— Oh ! maman, pardon !... Il me l'avait demandé avec tant d'insistance !... Il était sûr de te convaincre !... Et moi aussi, j'avais espéré !... Si j'avais su... C'est affreux !... Tu l'as brisé !... Il est si seul, si seul !...

— Ne crois pas ça, Sylvie... Il n'est jamais seul... Une passion l'habite qui le sauve de tout : le travail... Quand nous étions ensemble, il y avait toujours son métier entre nous... Aussi encombrant, aussi exigeant qu'une maîtresse. Sous ses dehors malheureux, c'est un enfant gâté... Il vit d'abord pour ses malades... Je suis égoïste peut-être, mais c'est très difficile d'être la femme d'un homme tel que lui... J'ai mis longtemps à m'en apercevoir... Maintenant je suis résolue... J'ai l'intention de penser un peu à moi après avoir beaucoup pensé à lui... Je le plains de tout mon cœur, mais ce n'est pas une scène comme celle que nous venons de vivre qui me fera changer d'avis !

— Tu vas vraiment épouser Philippe Marzona ?

— Oui, Sylvie.

Bizarrement, Sylvie pensa que Jilou allait changer de nom pour la troisième fois dans son existence : Mme Lesoyeux, puis Mme Borderaz, puis Mme Marzona... Et après ? Cela lui parut, elle ne savait trop pourquoi, incongru et même ridicule. Et elle, dans cet imbroglio, quelle serait sa place ? Devrait-elle, docile aux lois du sang, suivre sa mère d'homme en homme, de foyer en foyer, ou rester fidèlement attachée à Xavier ? De tout le poids de son amour, c'était vers lui qu'elle penchait. Il symbolisait pour elle les meilleures années de son adolescence. Libre à Jilou de changer de mari, elle, pour sa part, ne changerait pas de père. Il n'était pas celui qui l'avait conçue, mais celui qui, à force de vigilance et de tendresse, l'avait préparée aux combats de la vie. Sans le savoir, il avait plus fait pour elle que Jilou. Cela ne diminuait en rien la passion fougueuse que Sylvie portait à sa mère. Mais, si elle ne pouvait se passer de la chaleur, de la voix, de l'odeur de Jilou, c'était l'estime de Xavier qu'elle recherchait avant toute chose. Comment avait-il pu se dégrader à ce

point devant une femme, fût-elle Jilou ?
N'avait-il aucune conscience de sa supério-
rité sur ce Philippe Marzona qu'elle lui pré-
férait par aveuglement ? Porté à ce degré,
l'amour semblait à Sylvie une maladie
mentale effrayante et probablement sans
remède. En comparaison, ses rapports avec
Olivier étaient d'une clarté reposante.
C'était elle qui avait atteint la sérénité que
donne l'expérience et ses parents qui se
débattaient dans les tourments de la jeunesse. Elle sourit avec mélancolie à ce ren-
versement des rôles et dit :

— Tu m'en veux de l'avoir fait venir ?

— Non. C'est mieux ainsi. Il a compris
maintenant.

— En es-tu sûre, maman ?

Jilou soupira sans répondre. Tout à coup
elle parut à Sylvie plus lasse, plus faible
qu'à son arrivée. La fatigue marquait ses
traits. Un voile humide élargissait son
regard. Avec angoisse, Sylvie pensa qu'un
jour sa mère serait une vieille femme au
visage fripé, aux mains tremblantes. « Je ne
supporterai pas qu'elle ne soit plus belle ! »
se dit-elle avec colère. Et elle la serra farouchement dans ses bras.

— Oh ! maman, maman, gémit-elle, je
voudrais tant que vous soyez de nouveau
heureux ensemble !

— Nous le serons séparément, dit Jilou.
Elles demeurèrent encore un moment muettes, pensives. Puis Jilou annonça, à son tour, qu'elle allait partir. Sylvie ne la retint pas.

Restée seule, elle appela Xavier au téléphone. Il venait de rentrer. Sa voix était calme :

— Ah ! c'est toi, Sylvie. Je regrette de m'être donné en spectacle. Mais c'était plus fort que moi. Jilou est encore là ?

— Elle est partie à l'instant.

— Que t'a-t-elle dit ?

— Rien de plus que ce qu'elle t'a dit à toi. Que vas-tu faire maintenant ? Veux-tu que je vienne ?

— Non, non, dit-il. Je vais me coucher. Et prendre des comprimés pour dormir.

— Quels comprimés ?

— Les mêmes que d'habitude. Ne t'en fais pas. La tête est encore solide. Je vais récupérer très vite.

— Tu me le jures ?

— Oui, je te le jure, Sylvie. Je t'aime tellement.

— Moi aussi, je t'aime ! dit-elle avec élan. A demain, Xavier.

— A demain, Sylvie.

Il y eut un lourd intervalle de silence. Puis Xavier raccrocha. Elle se dirigea vers sa chambre. Olivier devait la rejoindre vers minuit. Elle avait hâte de le voir pour lui raconter ce qui s'était passé entre Jilou et Xavier. De nouveau, elle constata qu'elle était plus préoccupée de la vie de ses parents que de la sienne propre. « Je suis totalement bouffée par eux ! » se dit-elle avec rage. Et, pour calmer son impatience, elle se mit à ranger son appartement. Clémence, qui la suivait pas à pas, mordillait les talons de ses chaussures dont le mouvement saccadé l'agaçait.

Le lendemain matin, elle prenait son petit déjeuner dans le living avec Olivier, qui s'apprêtait à partir pour le bureau, lorsqu'ils furent interrompus par la sonnerie du téléphone. Elle décrocha l'appareil et une voix essoufflée lui parvint, comme à travers une bourrasque :

— Mademoiselle... Mademoiselle... Ici, Joséphine... Venez vite... Monsieur...

— Quoi ? Expliquez-vous ! s'écria-t-elle.

— Je l'ai découvert tout à l'heure, en arrivant... J'ai appelé le docteur du dessus... C'est fini, Mademoiselle !... C'est fini !... Oh ! Venez !... Quel malheur !...

Foudroyée, Sylvie resta un moment sans réaction, muette, le regard perdu dans le vide. Le monde venait de s'écrouler dans sa tête avec une pesanteur silencieuse. Puis elle murmura, se parlant à elle-même :

— Je le savais !

**

Sylvie ouvrit la porte avec sa clef, se précipita comme une folle dans le vestibule et se heurta à trois femmes éplorées : Joséphine, Mercedes et Mme Bourgeois lui barraient la route.

— Ah ! Mademoiselle, c'est affreux !... gémit Joséphine.

— Où est-il ? demanda Sylvie d'une voix haletante.

Et d'instinct elle se dirigea vers son ancienne chambre.

— Oui, dit Joséphine. C'est là que je l'ai trouvé. Il était tout habillé, ce pauvre Monsieur !

Sylvie courait. Les trois femmes la suivirent à petits pas pressés. Elle se retourna :

— Laissez-moi seule, je vous en supplie ! dit-elle en poussant doucement Joséphine par les épaules.

— Bien, Mademoiselle, bredouilla Joséphine avec un léger tassement du buste.

Sylvie entra et referma la porte derrière elle. Elle était devant le corps. Une stupéfaction sacrée la saisit. Xavier reposait sur le lit étroit dans son costume de la veille, gris anthracite à fines rayures blanches. Il avait un visage de marbre aux paupières closes, aux traits détendus, à la bouche entrouverte. Ses mains étaient jointes sur la poitrine. C'était donc vrai ! Un frisson parcourut Sylvie. Elle entrait en contact avec l'envers du monde. Sur la table de chevet, il y avait les lunettes de Xavier, une bouteille de whisky, un verre. Et aussi une lettre pour elle. Trois lignes griffonnées : « Ma Sylvie, ma Viou chérie, je n'en peux plus. Pardonne-moi. Sois heureuse... Xavier. » Elle lut le billet, le relut. Quelle détresse révélaient ces quelques mots qu'il avait tracés, seul, dans la nuit, avant de mourir ! Elle fourra le papier dans sa poche. L'énormité de son chagrin formait comme une boule de plomb dans sa poitrine. Les yeux secs, le cœur défaillant, elle essayait d'imaginer cette chose inconcevable : l'absence de Xavier, l'avenir sans Xavier. Et Dieu là-dedans ? Où était-il ? Comment avait-il permis ?... Qu'était devenue l'âme de Xavier ? Naviguait-elle, impondérable et transparente, dans l'atmosphère des lieux où il avait vécu ? Ou n'y avait-il rien après la

mort qu'une inexorable putréfaction ?
L'étrangeté de ces pensées étonna Sylvie.
Elle revint sur terre.

Avec précaution, elle toucha le front du
cadavre, arrangea ses cheveux, effleura
d'un baiser sa joue inerte. Il lui sembla
respirer sur sa peau une légère odeur
d'amande amère. Elle s'assit à son chevet.
Il était à elle. A elle seule. Elle lui prit la
main et la tint entre les siennes. Une main
rigide et froide de statue. Au bout d'un
moment, elle la reposa. Le temps s'était
arrêté de couler. Fascinée par ce mannequin
immobile qui prétendait être Xavier, Sylvie
était en rupture avec elle-même, elle flottait
dans un univers qui n'était plus le sien. Le
père qu'elle avait perdu à six ans n'était rien
auprès de celui qu'elle perdait aujourd'hui.
On guérit d'un deuil d'enfant, pas d'un deuil
de femme. Elle se répétait : « Mais pourquoi ? Pourquoi ? » et butait contre un mur.
Inconsciemment, elle évitait de penser à sa
mère. Puis soudain elle fut envahie par un
ouragan de colère : Jilou avait tué Xavier
par sa chiennerie amoureuse. Lui qui était
si grand ! Comme si la maison eût été encore
vivante, le téléphone sonnait par intervalles.
Des malades sans doute, pour un rendez-
vous... On frappa à la porte. La voix de Joséphine :

— C'est le docteur, Mademoiselle.

— Quel docteur ? dit-elle.

— Le docteur Bailly, qui habite au-dessus. Je l'avais appelé, ce matin, pour Monsieur. Il voudrait vous voir.

Elle reçut le médecin et l'écouta dans un nuage. Il lui parlait du permis d'inhumer. Pour « éviter les complications », il avait attribué la mort à un arrêt cardiaque.

— Comment cela s'est-il passé ? demanda-t-elle.

Le docteur Bailly tira de sa poche une petite boîte ronde en carton, l'ouvrit et en montra le contenu à Sylvie : deux gélules d'apparence inoffensive.

— Qu'est-ce que c'est ? balbutia-t-elle.

— Du cyanure, dit-il. J'ai découvert ça sur sa table de chevet. Personne ne le sait, sauf moi. Rassurez-vous : sa mort a été instantanée. Vous pouvez compter sur ma discrétion. J'avais une telle admiration pour votre père !

Il rempocha la boîte. Il était jeune, avec des yeux d'un bleu de faïence et une courte moustache blonde. Elle le remercia et le raccompagna dans l'antichambre. Là, elle se cogna à Mme Bourgeois. Entre deux sanglots, la secrétaire lui proposait de s'occuper des formalités.

— Oui, oui, murmura Sylvie. Faites le nécessaire. Merci.

Joséphine intervint à son tour :

— Il faudrait prévenir Madame, mais je n'ai pas son numéro de téléphone. Pouvez-vous me le donner, Mademoiselle ?

Sylvie s'entendit répondre :

— Surtout pas. Ma mère n'a pas à être prévenue.

Et elle s'éloigna à grands pas des trois femmes que sa réplique avait clouées sur place. Mais, au lieu de retourner dans sa chambre, elle se dirigea vers le cabinet de consultation. En franchissant le seuil, elle eut un étourdissement. C'était dans ce refuge de travail et de réflexion que la présence de Xavier s'imposait avec le plus de force. Tout, ici, parlait de lui vivant. Les jambes molles, Sylvie s'assit dans le fauteuil de Xavier, posa ses mains à plat sur le bureau de Xavier. Elle regardait les papiers épars, le stylo à sa place habituelle, l'agenda ouvert à la page de la veille et le cœur lui manquait devant la permanence des choses. Tout à coup la voix de Xavier résonna dans sa tête : « N'as-tu pas remarqué que, pendant les cours de danse, tu étais plus essoufflée que tes camarades ? » Elle se revit, dans cette même pièce, petite fille, le torse nu, et Xavier l'auscultait. Un visage grave

et attentif, avec les deux branches du sté-
thoscope pendues autour du cou. Ce souvenir la fouetta jusqu'à lui couper la respiration. Elle décrocha le téléphona. Machinalement, son doigt formait sur le cadran le
numéro de Jilou. Elle distinguait à peine les
chiffres qui dansaient devant ses yeux.
Quand elle entendit la voix de sa mère, un
flot de tendresse la submergea. Les larmes,
longtemps refusées, jaillirent de ses paupières.

— Allô, maman ? dit-elle dans un souffle.
Viens vite, vite, maman... Xavier est mort...
Il s'est suicidé...

Un long silence lui répondit. Elle crut
même, pendant une fraction de seconde, que
la communication avait été coupée. Puis il
y eut, à l'autre bout du fil, un cri de bête.

XV

Deux discours très émouvants avaient été prononcés devant le cercueil posé sur des bastings au-dessus du caveau ouvert : des professeurs amis de Xavier. L'un et l'autre avaient exalté la noblesse de caractère du défunt, son dévouement aux malades, sa science et sa modestie. Un prêtre avait marmonné une prière et procédé à la bénédiction en agitant un goupillon. Puis chacun, à tour de rôle, avait aspergé d'eau bénite la longue caisse de bois verni. Sylvie accomplit ce geste avec l'impression de participer à une mise en scène dérisoire. Après l'adieu de la famille et des intimes, le cercueil fut descendu dans son logement de ciment brut. Les cordes remontèrent entre les mains des fossoyeurs. Ils étaient robustes et habiles. Sylvie pensa aux déménageurs qui avaient transporté les meubles du Puy. Une envie de vomir lui laboura l'estomac. Elle n'avait rien mangé depuis la veille. L'enterrement avait lieu dans le cimetière de Passy. Prévenu par télégramme, Pascal était arrivé hier, par avion, de New York. Les mollets de Sylvie tremblaient. Mais, malgré deux nuits sans sommeil, elle se sentait extraordinairement lucide. Elle s'écarta à regret de la tombe. Pour le défilé de condoléances, elle se trouva placée à côté de sa mère. Comme cette mort était survenue avant le jugement de divorce, pour tous Jilou était la veuve. C'était sinistre et grotesque. Les amis s'inclinaient devant elle, l'embrassaient, bredouillaient quelques mots de circonstance. Jilou avait un visage livide, émacié, aux yeux brûlés de larmes. Sans doute était-elle profondément torturée par le chagrin, par le remords. Mais, au regard de Sylvie, ce n'était pas une raison suffisante pour la plaindre. Une idée l'obsédait jusqu'au vertige. « Peut-être a-t-elle aussi trahi mon père ? se disait-elle. Peut-être s'est-il aventuré exprès dans cette embuscade, par désespoir, sachant qu'il serait tué par les Allemands ? Peut-être était-ce, là aussi, une sorte de suicide ? » Ainsi, par deux fois, Jilou aurait conduit un homme qui l'aimait à se donner la mort. Elle était néfaste. Il régnait autour d'elle une lumière glacée. Son sourire était celui, terrible, du destin. Le lent cortège des relations, des connaissances s'effilochait. Il y avait là, pêle-mêle, des médecins, des patients, des internes, Mlle de Connafieu, Mme Bourgeois, Joséphine, Mercedes, Olivier, triste et discret, perdu dans la foule... Ceux qui avaient accompli leur devoir de politesse s'en allaient, par petits groupes, entre les tombes. Il faisait beau. Des oiseaux pépiaient sur les branches à peine chargées de feuilles. Perché au sommet d'un monument funéraire, un chat blanc et noir se pourléchait le plastron, avec une royale indifférence. Jilou chancelait de fatigue. Sylvie lui prit le bras.

— Après, tu viendras chez moi, lui chuchota-t-elle.

Jilou acquiesça de la tête.

En se retrouvant seule avec Jilou dans le living, Sylvie sentit son courage l'abandonner. Avait-elle le droit d'ajouter à la souffrance de sa mère en l'accusant, une fois de plus, d'être la cause de leur malheur ? Pourtant elle ne pouvait se taire. Caressant machinalement la tête de Clémence, elle

considérait cette femme assise en face
d'elle, dont le visage démaquillé, meurtri,
avait la pâleur et la finesse de la cire.
La compassion et la rage se partageaient
son cœur. Elle finit par dire d'un ton mor-
dant :

— Ma pauvre maman ! Eh bien, c'est
terminé ! Tu es débarrassée de lui maintenant !

— Tu es dure, Sylvie ! murmura Jilou.
J'ai beaucoup de torts. Mais pas tous. Je me
suis séparée de Philippe.

— Comment ça, tu t'es séparée ?

— Après ce qui s'est passé, je ne peux
plus habiter chez lui...

— Il est bien temps ! Et tu retourneras à
la maison ?

— Non... Trop de souvenirs m'y atten-
dent... Je me suis installée à l'hôtel, provi-
soirement... Puis je chercherai un appartement à louer n'importe où...

— Mais tu continueras à voir Philippe
Marzona ?

— Ne me pose pas cette question, Sylvie...
Je ne sais plus... C'est abominable !... J'aime
Philippe malgré tout... Oui, malgré tout...
C'est ma seule excuse... Mais la pensée de
Xavier m'obsède... En se suicidant, c'est
moi qu'il a tuée... Je deviens folle à force de
retourner cela dans ma tête !...

Elle était misérable dans sa confession. Elle rampait.

— Quel vide soudain ! reprit-elle. Je ne pouvais pas supposer que Xavier en arriverait là !...

— Pour mon père non plus, tu ne pouvais pas supposer... insinua Sylvie.

— Que veux-tu dire ?

Sylvie se troubla. Elle n'était plus sûre d'avoir raison. Sa voix faiblit :

— La mort de mon père... Je ne sais pas... Mais peut-être l'a-t-il cherchée ?... Comme... comme Xavier... A cause de toi...

Jilou se leva d'un bond. Ses yeux étincelaient sous l'outrage.

— C'est faux ! s'écria-t-elle. Comment peux-tu imaginer cela ?... Je te défends, je te défends !... Viou, tu me fais si mal !...

Sylvie lui enlaça les épaules et dit avec calme :

— Je te crois, maman. N'en parlons plus.

Mais elle n'était pas convaincue. Elle songea que, jusqu'à la fin de ses jours, elle serait tourmentée par le mystère de Jilou. Sans doute était-il dans sa nature d'être plus habitée par sa mère que par elle-même. Une hantise de tous les instants. Elles se rassirent. Clémence sauta sur les genoux de Sylvie et lui appliqua sa truffe humide et fraîche contre le menton.

— Il faut que nous nous voyions souvent, dit Jilou. Très souvent. J'ai tellement besoin de toi ! Tu me promets, ma chérie ?...

— Oui, maman, dit Sylvie.

Et, suffoquée par un brusque afflux de larmes, elle repoussa Clémence et s'abattit sur la poitrine de sa mère, qui l'entoura de ses deux bras. « Me protège-t-elle ou m'étouffe-t-elle ? » se demanda Sylvie en sombrant dans la douceur, la tristesse, la sécurité d'un retour aux origines.

XVI

Un mois plus tard, Jilou s'installa dans un petit appartement que Sylvie avait trouvé à deux pas de chez elle, rue de l'Ancienne-Comédie. Elles se voyaient souvent. Mais, au cours de leurs rencontres, elles évitaient d'évoquer le passé. Souffrant d'une même blessure, elles en attendaient silencieusement l'improbable cicatrisation. En revanche, il était souvent question entre elles de Philippe Marzona. Rompue, désemparée, Jilou se confiait à sa fille comme à une amie de son âge. Après l'avoir condamnée sans réserve, Sylvie se surprenait à la prendre en pitié. Elle comprenait que sa mère fût déchirée entre le remords et l'amour, entre le souvenir et la vie. N'avait-elle pas connu elle-même, dans son adolescence, ce combat du passé contre le présent, d'un fantôme contre un être de chair, de son père contre Xavier ?

D'abord résolue à rompre avec Philippe Marzona, Jilou avait fini par le revoir. Elle l'avait dit à Sylvie. Et Sylvie, le cœur serré, avait approuvé ce renouement. La passion de Jilou pour cet homme ne justifiait-elle pas, tant soit peu, la cruauté de sa conduite envers Xavier ? En amour, il n'y a pas d'équité, pas de morale. La fureur du sang entraîne tout. Cédant aux supplications de sa mère, Sylvie consentit même à rencontrer Philippe Marzona. Elle le trouva discret et digne dans une situation difficile. Quand, au bout d'un an, Jilou lui parla d'un mariage possible, elle reçut le choc douloureusement mais reconnut que c'était la meilleure solution.

La cérémonie civile, toute simple, se déroula en présence des seuls témoins. Sylvie refusa d'y assister. Mais elle rendit visite au couple, ensuite, dans l'appartement-musée de Philippe Marzona. Jilou était radieuse. Elle avait embelli, rajeuni. Le cœur léger, elle s'apprêtait à vivre un troisième bonheur. Sylvie l'envia, sans colère, sans rancune. Elle la jugeait fatale et irresponsable. En rentrant chez elle, rue Jacob, elle se précipita, en larmes, sur Clémence et la serra dans ses bras à lui broyer les os, tandis que la chienne lui léchait les joues en poussant de petits jappements plaintifs.

A dater de ce jour, elle espaça ses entrevues avec sa mère. Il lui semblait que leurs liens affectifs s'étaient relâchés, que, pour la première fois, elle tournait le dos à son enfance, qu'elle ne devait plus compter que sur ses propres forces pour accomplir son destin. Elle travaillait toujours pour Mlle de Connafieu, qui lui confiait maintenant des affaires de première importance. Ses gains, joints aux revenus de l'héritage de sa grand-mère, lui permettaient de vivre agréablement sans rien demander à Jilou. Olivier l'entourait d'une gentillesse maladroite et inquiète. Dans son isolement, elle appréciait chaque jour davantage cette présence de « bon toutou », comme il disait lui-même, à ses côtés. Après de longues hésitations, elle se décida à l'épouser. Leur union se révéla plus profonde, plus harmonieuse qu'elle ne l'avait prévu. Pourtant, sa réussite dans son ménage et dans son métier ne l'empêchait pas de traîner une nostalgie diffuse. Elle avait parfois l'impression d'être devenue insensible aux agréments comme aux soucis de la vie. Une distance de deuil la séparait de l'univers des autres. C'était un bonheur triste, un cheminement monotone sur une route sans fin. Deux ans après son mariage, elle eut la joie de mettre au monde un fils. Elle l'appela Xavier.

Littérature

Cette collection est d'abord marquée par sa diversité : classiques, grands romans contemporains ou même des livres d'auteurs réputés plus difficiles, comme Borges, Soupault. En fait, c'est tout le roman qui est proposé ici, Henri Troyat, Bernard Clavel, Guy des Cars, Frison-Roche, Djian mais aussi des écrivains étrangers tels que Colleen McCullough ou Konsalik.

Les classiques tels que Stendhal, Maupassant, Flaubert, Zola, Balzac, etc. sont publiés en texte intégral au prix le plus bas de toute l'édition. Chaque volume est complété par un cahier photos illustrant la biographie de l'auteur.

2523

Impression Brodard et Taupin
à La Flèche (Sarthe) le 28 février 1991
6633D-5 Dépôt légal février 1991
ISBN 2-277-22523-1
1er dépôt légal dans la collection : janv. 1989
Imprimé en France
Editions J'ai lu
27, rue Cassette, 75006 Paris
diffusion France et étranger : Flammarion